Johann Jacob Ferber

BRIEFE AN FRIEDRICH NICOLAI

Johann Jacob Ferber

Briefe an Friedrich Nicolai
aus Mitau und St. Petersburg

Herausgegeben von Heinz Ischreyt
Eingeleitet von Albrecht Timm

NICOLAISCHE VERLAGSBUCHHANDLUNG KG
HERFORD UND BERLIN

SCHRIFTENREIHE NORDOST-ARCHIV

bearbeitet und herausgegeben von Eckhard Jäger

Band 7

© Copyright 1974 by
Nicolaische Verlagsbuchhandlung Herford und Berlin
und Nordostdeutsches Kulturwerk, Lüneburg
Druck: Wendt Groll GmbH, 49 Herford, Schrewestraße 7
ISBN: 3-87584-.042-9

INHALT:

VORWORT

Gelehrtenbriefe des 18. Jahrhunderts sind eine wichtige, leider aber nur wenig erschlossene Quelle dieser Zeit des großen wirtschaftlichen und sozialen Umbruchs. Die Herausgabe der Briefe des seinerzeit hochgeschätzten, heute aber fast vergessenen Mineralogen Johann Jacob Ferber an Friedrich Nicolai soll deswegen als Beitrag zur besseren Kenntnis der frühen Industrialisierung und der Rolle, die Nord- und Osteuropa in ihr spielten, dienen. Diese Briefe sind außerdem bemerkenswert, weil sie eine fast lückenlose Folge aus den Jahren 1776 bis 1786 bilden, in denen es um mehrere für die Korrespondenten wichtige Themen geht, um Rezensionen für die "Allgemeine deutsche Bibliothek", um die Berufung Ferbers nach Berlin, die Herausgabe eines Buchs, die Freimaurerei sowie um den Buchhandel und den Postverkehr. In ihnen wird also eine "Geschichte" erzählt: Vor dem Hintergrund der Lebensverhältnisse in Mitau und Petersburg und den sich immer mehr verdichtenden freundschaftlichen und fachlichen Beziehungen beider Briefpartner tritt individuelles Schicksal hervor.

Nachdem Ferber den langersehnten Posten eines Oberbergrats in Berlin erhalten hat, versiegt verständlicherweise der Strom brieflicher Mitteilungen, da ja beide Partner nunmehr an einem Orte wohnen. Deswegen wurde auch darauf verzichtet, die sechs Briefe aus den drei letzten Lebensjahren Ferbers abzudrucken. Am Ende des Kommentars sind sie jedoch mit einer kurzen Inhaltsangabe verzeichnet. Ferner wurden weder die Beilagen (Rechnungen etc.) noch die Empfehlungsbriefe für Freunde Ferbers, die Nicolai besuchen wollten, im laufenden Text abgedruckt, um diesen nicht zu sehr zu belasten. Die Empfehlungsbriefe erscheinen jedoch im Kommentar an der Stelle, wo der entsprechende Besuch im Briefwechsel erwähnt wird. Auch wurden die wichtigsten Beilagen in den Kommentar aufgenommen.

Die Wiedergabe von Ferbers Briefen, die sich im "Nachlaß Nicolai" in der Handschriftenabteilung der Staatsbibliothek Preußischer Kulturbesitz in Berlin befinden, erfolgte buchstabengetreu. Es wurde also darauf verzichtet, sie dem gegenwärtigen Sprach- und Schriftgebrauch anzupassen. Lediglich in bezug auf die Buchstaben "V" und "Z", die Ferber im Anlaut, Inlaut und Auslaut immer gleich schreibt, bei denen er also Groß- und Kleinschreibung nicht unterscheidet, wurden unsere Schreibgewohnheiten angewandt. Auch konnte der Wechsel von Fraktur und Antiqua nicht zum Ausdruck gebracht werden, da uns für den Abdruck nur eine Schrift zur Verfügung stand. Schließlich sei noch erwähnt, daß die Schnörkel für "Herr" durch h, für "der (den) Herr(n)" durch dh und für "Thaler" durch Th wiedergegeben wurden.

Die im großen und ganzen richtige Ordnung der Briefe im "Nachlaß Nicolai" brauchte nur geringfügig korrigiert zu werden. Da auf den meisten Briefen das Datum des Eingangs und der Antwort vermerkt sind, wurden diese für den Post- und Geschäftsverkehr nicht unwichtigen Angaben in jedem Falle mitgeteilt.

Der Kommentar, der nicht dem Text der Briefe als Anhang folgt, sondern ihnen der besseren Übersichtlichkeit wegen gegenübergestellt wird, bezieht sich vor allem auf die erwähnten Schriften, Personen und Ereignisse. Er bringt die Buchtitel in der Form, wie sie in der "Allgemeinen deutschen Bibliothek" abgedruckt sind. Das liegt nahe, weil es sich ja meist um Schriften handelt, die in diesem Periodikum rezensiert wurden, und hier oft interessante Mitteilungen enthalten sind, die in der bibliographisch üblichen Form fortgefallen wären.

Die Aufgabe des Kommentars in bezug auf die erwähnten Personen besteht darin, diese allgemein in die Geistesgeschichte und speziell im Hinblick auf die Korrespondenten einzuordnen. Er beschränkte sich deswegen - vor allem, wenn es sich um bekannte Persönlichkeiten handelt - nur auf kurze Hinweise. Dabei wurde auf eine vollständige Literaturangabe verzichtet; nur leicht zugängliche weiterführende Standardwerke, wie etwa die "Neue Deutsche Biographie", sind angegeben. Die Kenntnis der zeitgenössischen biographischen Nachschlagewerke wie Meusels "Lexikon der von 1750 bis 1800 verstorbenen deutschen Schriftsteller", Jöchers "Allgemeines Gelehrtenlexikon", Schlichtegrolls "Nekrolog" sowie der "Allgemeinen deutschen Biographie" usw. wurde vorausgesetzt. Sie wurden ebensowenig erwähnt wie das Archiv des Herausgebers.

Einzelne in Ferbers Briefen erwähnte Ereignisse versucht der Kommentar durch zeitgenössische Texte und Briefe aus dem "Nachlaß Nicolai" zu illustrieren. Er wird darin durch die Abbildungen ergänzt.

Abschließend sei denjenigen, die dem Herausgeber bei dieser Arbeit geholfen haben, herzlich gedankt: der Handschriftenabteilung der Staatsbibliothek Preußischer Kulturbesitz, die den Abdruck genehmigte; Herrn Arthur Hoheisel, Dietz a.d.Lahn; Herrn Prof.Dr. Amburger, Heuchelheim; vor allem aber Herrn Prof.Dr. Albrecht Timm, Bochum, der nicht nur den einleitenden Beitrag verfaßte, sondern auch viele Hinweise für den Kommentar gab.

H. I.

DIE BRIEFPARTNER

Johann Jacob Ferber wurde am 9. September 1743 in der 1680 gegründeten Stadt Karlskrona an der Südostküste der schwedischen Landschaft Schonen geboren. Sein Vater, der Assessor des kgl. schwedischen Medizinalkollegiums und Hofapotheker Johann Friedrich Ferber, bestimmte ihn zum Mediziner und ließ ihn auf der in seiner Vaterschaft errichteten Militärakademie für Seekadetten das Studium beginnen. Doch bald begab sich Ferber nach Uppsala, wo er Schüler des berühmten Carl von Linné wurde, unter dessen Präsidium er 1763 seine Dissertation verteidigte. Sein Lehrer für Mineralogie war der angesehene Gelehrte Johann Georg Wallerius.

1763 wurde Ferber am kgl. Bergwerkskollegium in Stockholm angestellt. Hier arbeitete er bei dem Bergmeister Axel Frederic Freiherr von Cronstedt, als dessen erster Schüler in Deutschland er 1804 von J.C.W. Vogt genannt wurde. In seinem Vaterland Schweden, das zwischen dem 16. und 18. Jahrhundert im Berg- und Hüttenwesen als führend angesehen wurde und zahlreiche Beziehungen zu anderen wichtigen europäischen Bergbaugebieten unterhielt, wie z.B. zu denen im Harz, im Freiberger Raum, in Böhmen und Ungarn (Slowakei), hatte Ferber eine sorgfältige Ausbildung genossen, als er im September 1764 auf Reisen ging.

In Berlin vervollständigte er 1765 seine chemischen Kenntnisse bei dem Direktor der physikalischen Klasse der Akademie der Wissenschaften, A.S. Marggraf, der zu dieser Zeit den Rübenzucker entdeckte. In Kassel arbeitete er bei Raspe, ebenso war er in den böhmischen und ungarischen Bergwerken und in den Quecksilberbergwerken in Idria tätig. Ferber bereiste England und Frankreich, machte in Italien die Bekanntschaft des Arduino und erwarb sich die Freundschaft des bedeutenden österreichischen Gelehrten und Erfinders Ignaz von Born, mit dem er zeitweise eng zusammenarbeitete.

1773 erschienen in Prag Ferbers "Briefe aus Wälschland", die ins Französische und Englische übersetzt wurden, 1774 in Berlin seine "Beyträge zur Mineralgeschichte von Böhmen" und die "Beschreibung des Quecksilberbergwerks zu Idria in Mittel-Crayn". Ferber war also ein "erfahrener Mineralogist" (Gött. Gel.Anz. 1774, S.299) und berühmter Mann, als er 1774 einen Ruf als Professor für Naturgeschichte und Physik an die neugegründete Academia Petrina in Mitau erhielt, was auch darin zum Ausdruck kommt, daß er ein bedeutend höheres Gehalt als die meisten seiner Kollegen erhielt.

Auch nachdem er das Amt in Mitau 1775 angetreten hatte, blieb er in lebhaftem Austausch mit Gelehrten in ganz Europa und wertete das Material seiner bisherigen Reisen aus. 1776 erschien in Mitau der "Versuch einer Oryktographie von Derbyshire in England", eine Schrift, die auch ins Englische übersetzt wurde, desgleichen "Bergmännische Nachrichten von den merk-

FR. NICOLAI.

Chodowiecki del.   Geyser sculp.

8

IOH. IACOB FERBER

J.G.Gröschke del.   C.C.Glasbach sculp.

würdigsten mineralischen Gegenden der herzogl. zweybrückischen, chur-pfälzischen, wild- und rheingräflichen und nassauischen Länder";1778 er-schienen gleichfalls in Mitau "Neue Beyträge zur Mineralgeschichte ver-schiedener Länder"; 1780 in Berlin "Physikalisch-metallurgische Abhand-lungen über die Gebirge in Ungarn". Ein Jahr darauf unternahm Ferber auf Einladung des Königs Stanislaw August eine bergmännische Reise durch Po-len. Der Bericht darüber erschien jedoch erst nach seinem Tode.

1783 folgte Ferber einem Ruf als Professor der Mineralogie an die Kaiser-liche Akademie der Wissenschaften in St.Petersburg, wo er am 18.August als ordentliches Mitglied eingeführt wurde. Auch hier entwickelte er eine lebhafte Tätigkeit, obgleich er sich in der russischen Metropole nicht recht wohl fühlte. In den 1784 erscheinenden Akten der Akademie der Wissen-schaften wurde sein "Examen hypotheseos de transmutationibus corporum mineralium" veröffentlicht. Eine zweite Schrift für die Akten der Akademie mit dem Titel "Reflexions sur l'ancienneté relative des roches et des cou-ches terreuses qui composent la croute du globe terrestre" erschien 1786, als er Petersburg schon wieder verlassen hatte, um dem seit langem ersehn-ten Ruf nach Berlin zu folgen. Im gleichen Jahr wurde er ordentliches Mit-glied der Preußischen Akademie der Wissenschaften.

Auch von Berlin aus machte Ferber weite Reisen. So beteiligte er sich 1786 an dem Treffen der führenden Metallurgen in Glashütte, um Ignaz von Borns verbesserte Methode der Amalgamation zu begutachten. Das Ergebnis die-ser Studien legte er in der "Nachricht vom Anquicken der gold- und silber-haltigen Erze, Kupfersteine und Speisen in Ungarn und Böhmen" (Berlin 1787) nieder. Auch war er neben Charpentier, d'Elhuyar, Hawkins, Henkel, v.Treb-ra und Weber an dem "Kongreßbericht" beteiligt, der folgenden Titel trägt: "Ist es vorteilhafter, die silberhaltigen Erze und Schmelzhüttenprodukte an-zuquicken, als sie zu schmelzen? beantwortet von einigen zu Glashütte bey Schemnitz in Nieder-Ungarn im Sommer und Herbst 1786 versammelten Berg- und Schmelzwesensverständigen" (Wien 1787).

Eine große Menge weiterer selbständiger Schriften und viele Zeitschriften-aufsätze zeugen von Ferbers unermüdlichem Fleiß, der es ihm erlaubte, trotz zahlreicher Reisen schriftstellerisch fruchtbar zu bleiben. Schon vor-her durch eine schwere Krankheit, die er für Gicht hielt, geplagt, so daß er nicht in der Lage war, den Federkiel zu halten, traf ihn in der Schweiz, wo er Salz- und Eisenwerke untersuchen sollte, der Schlag, und er starb am 17.April 1790 in Bern.

Weitere selbständige Schriften Ferbers:

Anmerkungen zur physischen Erdbeschreibung von Kurland, nebst J.B. Fi-schers Zusätzen zu seinem Versuch einer Naturgeschichte von Liefland. Riga: Hartknoch 1784.

Untersuchungen der Hypothese von der Verwandlung der mineralischen
Körper in einander; aus den Akten der kaiserl.Akademie der Wissenschaften zu St.Petersburg übersetzt, mit einigen Anmerkungen vermehrt und
herausgegeben von der Gesellschaft naturforschender Freunde zu Berlin.
Berlin: Mylius 1788.

Drey Briefe mineralogischen Inhalts an den Freyherrn von Racknitz, Berlin: Mylius 1789.

Mineralogische und metallurgische Bemerkungen in Neuschatel, Franche
Comté und Bourgogne im Jahr 1788 angestellt. Berlin 1789.

Literatur:

Nekrolog enthaltend Nachrichten von dem Leben merkwürdiger, in diesem
Jahr verstorbener Personen. Hrsg. A.H.F. von Schlichtegroll, Gotha,
Bd.1, 1790; S.256-261

J.G. Meusel: Lexikon der von 1750-1800 verstorbenen teutschen Schriftsteller, Bd.3. Leipzig 1804, S.309

Biographisch-literarisches Handwörterbuch zur Geschichte der exacten
Wissenschaften. Hrsg. von J.C. Poggendorff, Bd.1, Leipzig 1863

Nachruf in: Berlinische Monatsschrift, 1790, S.294-302.

J.F. von Recke / K.E. Napiersky: Allgemeines Schriftsteller- und Gelehrten-
Lexikon der Provinzen Livland, Esthland und Kurland, Bd.1, Mitau 1827,
S.554 ff.

Karl Dannenberg: Zur Geschichte und Statistik des Gymnasiums zu Mitau.
Mitau 1875, S.7

J.J. Ferber: Relation von der ihm aufgetragenen mineralogischen berg- und
hüttenmännischen Reise durch einige polnische Provinzen. Arnstadt u. Rudolstadt 1804. (Einleitung von Johann Carl Wilhelm Voigt.)

Wolfhard Weber: Voraussetzungen und Möglichkeiten von Innovationen in der
2. Hälfte des 18. Jahrhunderts. Friedrich Anton von Heynitz. Habilitations-
Schrift der Ruhr-Universität Bochum, 1974

Wilhelm von Gümbel: Johann Jacob Ferber, in: Allgemeine Deutsche Biographie, Bd.6. Leipzig 1877, S.629 f.

Christoph Friedrich Nicolai wurde am 18.März 1733 in Berlin als jüngster von vier Brüdern geboren. Sein Vater, Christoph Gottlieb Nicolai, hatte schon 1713 ein königliches Privileg für eine Buchhandlung in Berlin erhalten und sich seither Ansehen auch als Verleger erworben. Friedrich Nicolais Jugend war schwer; schon im Alter von drei Jahren verlor er seine Mutter. Nach häuslicher Unterweisung kam er 1746 auf das Joachimsthalsche Gymnasium in Berlin, das, ebenso wie die Lateinschule der Franckeschen Stiftung in Halle, die er anschließend besuchte, damals nicht geeignet war, alle seine geistigen Fähigkeiten zu entwickeln. Deswegen und um ihn auf seinen Beruf als Buchhändler vorzubereiten, schickte ihn sein Vater 1748 auf die von Johann Julius Hecker gegründete Realschule in Berlin. Aber schon im nächsten Jahr ging er nach Frankfurt a.d.Oder, wo er drei Jahre lang den Buchhandel lernte.

1752 trat Friedrich Nicolai in das Geschäft seines Vaters ein. Nach dessen schon im Februar desselben Jahres erfolgten Tod übernahm sein ältester Bruder die Leitung der Buchhandlung. Streitigkeiten machten die Zusammenarbeit immer schwerer, so daß sich Friedrich Nicolai mit ihm gerichtlich auseinandersetzte und 1758 aus der Buchhandlung ausschied. Im gleichen Jahre starb jedoch sein Bruder. So übernahm er das Geschäft, das völlig verschuldet war und das er nun mit ungeheurem Fleiß und Unternehmergeist über fünfzig Jahre lang bis zu seinem Tode führte.

Friedrich Nicolai hat das deutsche Geistesleben in der zweiten Hälfte des 18. Jahrhunderts als Herausgeber, Verleger, Schriftsteller und Kritiker mitgeprägt. Als Freund Lessings und Mendelssohns wurde er die wichtigste Gestalt der Berliner Aufklärung, die eine starke Ausstrahlungskraft in alle deutschsprachigen Länder und in Ostmitteleuropa und Osteuropa hatte. Seine Stärke lag in der Planung und Organisation von literarischen Vorhaben, wobei er sich keineswegs auf die schöne Literatur beschränkte, sondern ganz im Geist der auf das Praktische gerichteten Aufklärung vor allem auch die Vielfalt der sich neu entwickelnden Wissenschaften einbezog. Die Überbewertung einiger kritischer Äußerungen über Dichtungen, die dann, vor allem im 19.Jahrhundert, als Höhepunkte der deutschen Nationalliteratur in den Bildungskanon aufgenommen wurden, hat dazu geführt, daß er in der deutschen Literaturgeschichte als borniert und beschränkt abgestempelt wird.

Für die Mehrzahl der Zeitgenossen lag seine Bedeutung jedoch nicht etwa in der Polemik gegen Goethes "Werther", die übrigens viel Zustimmung fand, und gegen die Geniebewegung, sondern in seiner Herausgebertätigkeit. Von 1757 bis 1767 gab er zusammen mit Ch.F. Weisse und Moses Mendelssohn bei Dyck in Leipzig die "Bibliothek der schönen Wissenschaften und der freyen Künste" heraus, von 1759 bis 1765 zusammen mit Lessing und Moses Mendelssohn - und jetzt schon im eigenen Verlag - die berühmten "Briefe, die neueste Literatur betreffend". Auf der Ostermesse 1765 legte er dann den ersten Band der "Allgemeinen deutschen Bibliothek" vor, die ununterbrochen bis 1806, seit 1793 allerdings unter dem Titel "Neue allgemeine deutsche Bibliothek", erschien. Hatten die beiden ersten Zeitschriften dem Geistesleben Impulse verliehen, so wurde die "Allgemeine deutsche Bibliothek" zu einer Art Institution, einer "Rezensieranstalt". "Ein so umfassendes und einflußreiches kritisches Organ hat es in Deutschland weder vorher noch nachher gegeben" (Sichelschmidt). Nur ein Mann mit ungeheurem Fleiß und nicht erlahmender Arbeitskraft konnte die zahllosen Beziehungen, die sich durch diese Zeitschrift ergaben, aufrecht erhalten.

Friedrich Nicolais Unternehmungsgeist und Organisationskunst zeigten sich auch bei der Herausgabe anderer Verlagserzeugnisse, so z.B. des "Technologischen Wörterbuchs" von Jacobson und Rosenthal. Obgleich Nicolai auch erfolgreiche Romane, vor allem "Leben und Meinungen des Herrn Magister Sebaldus Nothanker" (1773), geschrieben hat, lag seine Stärke in der exakten kritischen Bestandsaufnahme. 1769 erschien in erster Auflage die "Beschreibung der Königl. Residenzstädte Berlin und Potsdam". Die Dritte Auflage 1786 umfaßte drei Bände mit weit mehr als 1300 Seiten. Von 1783 bis 1796 erschien dann seine "Beschreibung einer Reise durch Deutschland und die Schweiz im Jahre 1781" in 12 Bänden, die Vorbild für zahlreiche spätere Reisebeschreibungen wurde. Als Historiker erwies er sich in seinem "Versuch über die Beschuldigungen, welche dem Tempelherrenorden gemacht worden und über dessen Geheimnis; nebst einem Anhange über das Entstehen der Freimaurergesellschaft" (2 Teile, Berlin 1782).

In seinen polemischen Schriften wandte sich Nicolai seit 1775, als seine "Freuden des jungen Werthers" erschienen, gegen die Geniebewegung und später auch gegen die Romantik. Weit größere Aufmerksamkeit bei seinen Zeitgenossen erregte hingegen der von ihm geführte Kampf der Berliner Aufklärung gegen den Wunderglauben, der durch die Stichworte Cagliostro-Streit und Polemik gegen den Hofprediger Starck und den "Kryptokatholizismus" markiert werden kann.

1798 wurde der Autodidakt Nicolai Mitglied der Berliner Akademie der Wissenschaften. Bis zu seinem Tode am 8.Januar 1811 war er rastlos als Buchhändler und Schriftsteller tätig.

Literatur:
Gustav Sichelschmidt: Friedrich Nicolai. Geschichte seines Lebens, Herford 1971.

JOHANN JACOB FERBER IN DER GELEHRTEN WELT SEINER ZEIT

Wer Wissenschaftsgeschichte treibt, läuft Gefahr, sich auf Personenge-
schichte zu beschränken, anstatt - wie immer wieder gefordert wird -
Strukturen darzustellen und das einzelne Leben sowie die einzelne Leistung
in größere Zusammenhänge einzuordnen. Gerade im 18. Jahrhundert steht
die Wissenschaft in ständiger Wechselbeziehung zur Politik, Wirtschaft und
Technik, kurz zu dem, was man mit dem Begriff Kultur und unter anderem
Aspekt vor allem heute mit Gesellschaft zu umreißen pflegt. Deshalb sollte
auch eine wissenschaftsgeschichtliche Betrachtung des Lebens und des Le-
benswerks einer Persönlichkeit wie Johann Jacob Ferber die Interdepen-
denzen zur politischen Geschichte, zur Wirtschafts-, Sozial- und Technik-
geschichte beachten.

Die der Lebenszeit Ferbers vorausgehende Epoche kann wissenschaftsgeschichtlich durch den zeitgenössischen Begriff "nova scientia" gekennzeichnet werden. Vereinfachend ist von ihr zu sagen, daß in ihr an die Stelle der
unveränderten Übernahme eines traditionsbelasteten theoretischen Wissens
das Bemühen einsetzt, Neues zu ermitteln, zu verbreiten und anzuwenden.
Im Rahmen einer Mathematisierung und schrittweisen Mechanisierung des
Weltbildes, die den Beginn der Neuzeit markieren, werden nicht nur der
Himmel und die Erdoberfläche immer genauer erfaßt und neue Erkenntnisse
der Nautik und Geographie angewendet, sondern man nutzt solche Erkenntnisse auch für die Urproduktion. Bergbau, Geologie und Mineralogie erhalten in diesem Zusammenhang einen wichtigen Platz. Georg Agricola (1494-
1555), der das weite Gebiet von der Mineralogie, Geologie und Wasserhal-
tung bis zu den Anfängen einer Maschinenkunde und Verhüttung behandelte,
beeinflußt mit seinem grundlegenden Werk "De re metallica" (1556) die Mon-
tanistik bis in das 18. Jahrhundert. Er abstrahiert vom rein empirischen
Wissen und befindet sich auf dem Weg von der "Kunst" im Sinne der "Tech-
ne" zur Wissenschaft. Ferner fordert er schon nachdrücklich, daß der Bergmann nicht nur den Ursprung, sondern auch die Ursachen und Eigenschaften
der "unterirdischen" Dinge erkennen, also auch philosophisch gebildet sein
müsse.

Bezeichnenderweise wird im 18. Jahrhundert, das sich selbst als das enzy-
klopädische bezeichnet, der Begriff "Bergkunst", der - durch Agricola
maßgebend zusammengefaßt und verbreitet - schon in Richtung auf den wissenschaftlichen Bereich zielt, durch den Begriff "Bergbaukunde" oder "Mon-
tanistik" ersetzt. Am Beginn dieser Epoche steht Leibniz, der die Verbindung zwischen Bergbau und Wissenschaft, vor allem der Mathematik, her-
stellt, an ihrem Ende finden wir Persönlichkeiten wie A.G. Werner und
J.J. Ferber, die als Gelehrte und Praktiker den Weg vom Erfassen zum
Ermitteln, vom Vermuten zum Muten von Bergschätzen beschreiten.

Die Sammlung von Wissen durch die Enzyklopädisten - und in diesem Sinne gehört auch Ferber zu ihnen - geht zusammen mit einer Systematisierung und Klassifizierung. Das ergab sich schon aus der praktischen Notwendigkeit, etwa die Pflanzen in den botanischen Gärten und die Sammlungen in den naturgeschichtlichen Kabinetten zu ordnen, zur Kenntnis zu bringen und damit zu nutzen. Mit seinem Werk "Systemae Naturae" (1735), in dem etwa 1800 Pflanzenarten nach ihren typischen Merkmalen geordnet werden, lieferte der Schwede Carl von Linné (1707-1778) das Vorbild für viele ähnliche Versuche auf verschiedenen Gebieten der Naturwissenschaften. Er gewann eine Reihe von Schülern, die weite Reisen unternahmen, um seine Klassifikation zu vervollständigen, aber auch um die Kenntnis von ihr zu verbreiten. Etwa gleichzeitig ordnete der Franzose Buffon (1707-1788) die Tierwelt in ein System, das später durch J.B. Lamarck (1744-1829) zu einer Evolutionstheorie ausgebaut wird. Letzterer nimmt an, daß sich die Lebewesen im Sinne einer Vervollkommnung vom Einzeller bis zum Menschen im Laufe der Zeit entwickelt hätten und sich unter dem Einfluß der Umwelt auch noch weiter vervollkommnen.

Ähnliche Vorstellungen findet man in der noch jungen Wissenschaft Geologie oder Geognosie. So stellt Abraham Gottlob Werner (1750-1817) als "Plutonist" eine Theorie auf, nach der alle Gesteine durch Auffüllung und Sedimentation aus dem Meere entstanden seien, und systematisiert und periodisiert die Erd- oder Gesteinsschichten. Das gleiche gilt für die Himmelskörper. Mit der Systematisierung der Sterne löst sich die Astronomie endgültig von der Astrologie. F.W. Herschel (1738-1822) kommt in England über die mathematische Theorie der Musik zur Astronomie und veröffentlicht seit 1782 in London Verzeichnisse der von ihm mit Hilfe von Spiegelteleskopen entdeckten Sterne, Nebel und von zwei Uranusmonden. Schon 1771 hatte Charles Messier (1730-1817) in Paris 14 Kometen entdeckt und "Nebelflecke" katalogisiert.

Es wäre reizvoll, nun den Spannungsbogen zwischen Wirkungsgeschichte und Ideengeschichte nachzuzeichnen und zu fragen, wie weit der Interessenkreis eines Gelehrten wie Ferber gespannt war und welche Kontakte er durch seine Briefe und Reisen zu Fachgelehrten anderer Spezialgebiete unterhielt. Dieser Aspekt kann jedoch ebenso wie die quellenkundlichen und methodologischen Probleme nur gestreift werden.

Wir haben es mit Briefen zu tun, die für den biographisch arbeitenden Wissenschaftshistoriker eine wichtige Quelle darstellen. Sie müssen, wie andere Quellen auch, kritisch geprüft und in einen allgemeinen Zusammenhang gestellt werden, d.h. die Deutung ihres Inhalts setzt die Kenntnis der zeitgenössischen wissenschaftlichen Vorstellungen und der in ihnen enthaltenen oder sich aus ihnen ergebenden Folgerungen voraus. Es genügt nicht herauszufinden, wieviel wir von dem jeweils Mitgeteilten auf Grund unserer Kenntnisse für richtig halten, sondern wir müssen ermitteln, was man zu der Zeit, als die jeweilige

Quelle entstand, allgemein für wahr hielt, welche Folgerungen auf Grund des damaligen Wissensstandes naheliegend waren und welche neuen Überlegungen hinzugefügt wurden.

Versucht man einen Gelehrten im Zusammenhang mit seiner Zeit zu verstehen und zu würdigen, so genügt es natürlich nicht, alle seine Lebensdaten zu registrieren, wie wichtig sie auch sein mögen, sondern es gilt zu klären, in welcher Art und warum er die Wissenschaft fördern konnte, was ihm dabei half und was ihn daran hinderte. Auf dieser Grundlage können dann auch Hinweise auf den bei uns lange vernachlässigten Fragenkomplex Gesellschaft und Wissenschaft gegeben werden wie auch auf das Wechselspiel zwischen Weisung der Obrigkeit und Freiheit der Wissenschaft. In diesem Zusammenhang sei vorausgeschickt, daß man - thesenhaft formuliert - sagen kann: Die Wissenschaft wird im 18. Jahrhundert aus dem Ordo des Mittelalters entlassen, aber von der Obrigkeit mit Beschlag belegt.

Ferber ist nicht nur in seiner Weltanschauung, sondern auch als Gelehrter ein typisches Kind seiner Zeit. Er geht von der exakten Beobachtung, dem voraussetzungslosen empirischen Forschen aus und begibt sich immer wieder auf weite und kostspielige Reisen, um möglichst viele eigene Beobachtungen zu registrieren. Er sammelt aber auch den Schatz älterer Erfahrungen und sichtet diese kritisch. Er bemüht sich um die Verbreitung neuer Kenntnisse und bedient sich der publizistischen Mittel, dabei auch des Briefs. Ferber versteht die Wissenschaft als übernationale Erscheinung und als andauernden Prozeß. Schließlich ist er ein Verreter seines "ökonomischen Jahrhunderts", denn er ist zugleich Praktiker und Gelehrter, dem es nur an Gelegenheit fehlt, um auch in der Wissenschaftsorganisation tätig zu werden.

In seinem Briefwechsel mit Friedrich Nicolai zeigt es sich, wie sehr Ferber auf den Austausch wissenschaftlicher Erkenntnisse und die Verbreitung seiner Erfahrungen gerichtet ist. Das ist typisch für diese Zeit. Wissenschaftliche Kommunikation läßt sich damals wie heute nicht von der Entwicklung der Wissenschaften trennen. Es müßte also auf Grund der vorher genannten quellenkritischen Gesichtspunkte gefragt werden, welche Voraussetzungen für deren Ablauf bestanden, was dazu beitrug, die Weiterentwicklung eines Wissenschaftszweiges zu fördern oder zu hindern, Doppelarbeiten von Gelehrten zu vermeiden oder zuzulassen.

Die erste Voraussetzung für die wissenschaftliche Kommunikation ist die Sprache, zu der die Verwendung der Schrift, der Zahl, der Maße und Formeln tritt. Das Latein als einheitliche europäische Gelehrtensprache wird seit der Leibniz-Zeit allmählich aufgegeben und auf Termini reduziert. In der zweiten Hälfte des 18. Jahrhunderts gebraucht man in der Regel neben dem Französischen auch andere Nationalsprachen, darunter das Deutsche. Ferber benutzt vor allem die deutsche Sprache, daneben aber auch das Französische und Lateinische. Das hängt einerseits damit zusammen, daß er Schwede ist,

andererseits aber schon recht früh in einen durch die deutsche Sprache be-
stimmten Kommunikationsraum kommt.

Schweden hat im 18. Jahrhundert keine eigene Wissenschaftssprache, so
schreiben z.B. Linné und Wallerius noch lateinisch. Dennoch befand es
sich - wissenschaftsgeschichtlich gesehen - keineswegs in einer Randla-
ge. Vor allem was den Bergbau anbetrifft, sammelten viele mitteleuropä-
ische Gelehrte hier ihre Kenntnisse, z.B. Beckmann, der später in Göttingen wirkte, sowie das Petersburger Akademiemitglied Georgi. Die Ergebnisse der schwedischen Wissenschaft wurden durch diese persönlichen Beziehungen mit besonderem Nachdruck in den deutschsprachigen Ländern bekannt gemacht. So veröffentlicht z.B. der Begründer der Technologie Johann Beckmann 1787 eine Rede des bedeutenden schwedischen Mineralogen
Daniel Tilas, eines Altersgenossen von Ferber, und neben den grundlegenden Werken Linnés erscheinen auch Schriften von Wallerius, Bergmann u.a.
in deutscher Sprache. Aber auch die Bemühungen um die systematische
Sammlung und Benennung, auf die im Zusammenhang mit Linné und Buffon
hingewiesen wurde, haben vor allem in einer Zeit, in der die allgemeingülti-
ge Wissenschaftssprache Latein den Nationalsprachen zu weichen beginnt,
ihre besondere Kommunikationsaufgabe. Die Naturforscher konnten und können auch heute noch mit Hilfe solcher Nomenklaturen in dem Bewußtsein zu-
sammenarbeiten, daß sie über das Gleiche sprechen, wenn sie denselben
Namen nennen. Diese Systematisierung brachte nicht nur dem Bergbau unmittelbar praktische Vorteile, sondern bildete auch eine Voraussetzung für
die Entwicklung der Naturwissenschaften überhaupt.

All das deutet schon darauf hin, daß die wissenschaftliche Kommunikation im
18. Jahrhundert übernational angelegt ist, was in einem gewissen Gegensatz
zu der gleichzeitigen Tendenz, sich national abzugrenzen, steht. Die Verbreitung wissenschaftlicher Arbeitsmethoden machte nicht vor den Staatsgrenzen
halt. Freilich konnte es aber auch in dieser Beziehung zu Konflikten kommen,
wenn der Staat seine vermeintlichen Interessen schützen wollte. Gerade in
dieser Beziehung ist der Bergbau ein Beispiel: Die Klage über die Geheimnis-
krämerei vor allem im Habsburgerreich wird auch von Ferber immer wieder
ausgesprochen.

Die Spannung zwischen national oder staatlich fixierten Strukturen und internationaler Wissenschaftskommunikation ist deutlich spürbar. Das gilt auch
für die Studienreisen, vor allem wenn sie im Auftrag einer Regierung geschehen. Die damals üblichen Bildungs- und Studienreisen dienten der Sammlung
von Erfahrungen wie dem Austausch von Meinungen und waren ebenso neuar-
tig wie nützlich für die Entwicklung der Wissenschaften. So ist die umfang-
reiche Reisetätigkeit Ferbers, die ihn durch ganz Europa, von Rußland im
Osten bis Frankreich im Westen und von England im Norden bis Italien im
Süden führte, für die zweite Hälfte des 18. Jahrhunderts keineswegs so ungewöhnlich.

Nicht zuletzt im Zusammenhang mit ihnen und mit den zahlreichen auf diesen Reisen geschlossenen gelehrten Freundschaften steht auch Ferbers Mitgliedschaft in mehr als einem Dutzend von Akademien und wissenschaftlichen Gesellschaften, in denen allerdings gleichfalls eine nationale Tendenz der Notwendigkeit internationaler Wissenschaftskommunikation gegenübersteht. Obgleich die Wurzeln der wissenschaftlichen Gesellschaften bis in die Antike reichen, ist das 18. Jahrhundert geradezu dadurch gekennzeichnet, daß sich in ihm überall Gruppen von Menschen zusammenfinden, die der Aufklärung, d.h. auch der rationalen Wissenschaftsausübung, dienen wollen.

Darin spiegelt sich auch der überindividuelle Charakter der Wissenschaften, da es sich in ihnen ja grundsätzlich um Erkenntnisse handelt, die Anspruch auf Allgemeingültigkeit haben. Die Zusammenhänge zwischen der "sciencia nova" und einer "conscientia" werden im 18. Jahrhundert deutlich und markieren in der Wissenschaftsgeschichte eine bedeutungsvolle Wandlung. Wissenschaft kann also weder national noch zeitlich begrenzt werden. Es geht um die Aufgabe - und das wird auch im 18. Jahrhundert begriffen - die bisherigen Ergebnisse wissenschaftlichen Bemühens zu sammeln und als "Geschichte", die das Geschehene wie das Geschehen im Bereich der Natur erfaßt, in einen größeren Zusammenhang zu stellen, um dadurch zu erfahren, was früher erstrebt und erarbeitet worden ist. Wir befinden uns damit im Vorfeld dessen, was heute als Dokumentation äußerst wichtig geworden ist. Auch das "Kuriose" spielt im 18. Jahrhundert noch eine wesentliche Rolle, doch zeigt die Geschichte dieses Begriffs, daß damals darunter nicht das Abstruse oder Abseitige verstanden wurde, sondern das Bemerkenswerte, dem nun Wissensdrang und Neugierde gilt.

Das 18. Jahrhundert versteht sich selbst nicht nur als enzyklopädisches, sondern auch als ökonomisches Zeitalter; und in dieser Beziehung richtet man sich nach den Interessen des Staates. Nicht zufällig zielen die Ökonomen auf eine Staatswirtschaft hin, und die Kameralisten versuchen die Staatseinnahmen zu vergrößern. In solchem Zusammenhang sei daran erinnert, daß an den Universitäten Halle und Göttingen den Kameralwissenschaften besondere Aufmerksamkeit gewidmet wird. Hier sollen nämlich Verwaltungsbeamte ausgebildet werden, die sich neben ökonomischen und juristischen Kenntnissen auch Grundkenntnisse in jenem Fachbereich erwerben können, den wir als Naturwissenschaften bezeichnen würden. Nicht zuletzt sollen sie auch im Bergbau mitwirken.

Der Wissenschaftshistoriker stellt fest, daß sich der Bergbau als Keimzelle des ökonometrischen Denkens und Verhaltens erweist. Es ging ja darum, die ermittelten Bodenschätze systematisch abzubauen. Den Krafteinsatz und Gewinn vorauszuberechnen, die menschliche Arbeit im Schichteinsatz möglichst effektiv auszunutzen und Maschinen zur Arbeitserleichterung und Produktionssteigerung planmäßig zu verwenden. Der Bergbau ist eine wichtige Einnahmequelle des Staates, und deswegen wird ihm im Rahmen der Kameralwissenschaften an den Universitäten und Akademien der gebührende Platz eingeräumt.

Mindestens bis zum Beginn des 19. Jahrhunderts standen vor allem Berg-akademien, Bergschulen und Universitätslehrstühle für Kameralwissen-schaften in engem Kontakt mit der staatlichen Verwaltung und formten durch eine praxisbezogene Lehre sowie durch Anleitung zur wissenschaftlichen Forschung Generationen von Berg- und Hüttenfachleuten. Im 18. Jahrhun-dert beginnen sich ja aus den Bergschulen Akademien zu entwickeln, die nicht nur die Kenntnisse für die Praxis ermitteln, sondern auch an die künf-tigen Fachleute vermitteln wollen, und die also Forschung und Lehre mit-einander verbinden. In diesem Zusammenhang seien hier die Namen von Schemnitz in Oberungarn (Slowakei), von Clausthal im Harz und von Frei-berg in Sachsen genannt. Ignaz von Born, der Freund Ferbers, spielt in be-zug auf die Bergakademie in Schemnitz, die 1760 von Maria Theresia ge-gründet worden war, eine erhebliche Rolle. Friedrich Anton von Heynitz, der Ferber als Oberbergrat nach Berlin holt, ist maßgeblich an der Grün-dung der Bergakademie in Freiberg im Jahre 1765 beteiligt. Der Zeitgenos-se Ferbers, der von der Wissenschaftsgeschichte als sein Antipode betrach-tet wird, A.G. Werner, hatte nicht nur hier studiert, sondern wurde zu ei-nem der bekanntesten Lehrer an dieser Anstalt, an der er Mineralogie und Geognosie las. Während man ihn als "Plutonist", der das Urelement Wasser in den Vordergrund stellt, einordnet, gilt Ferber als "Vulkanist", betont also das Urelement Feuer.

Aber als Kinder ihrer Zeit waren sie beide bestrebt, ihre Erkenntnisse zu klassifizieren, um durch eine Ordnung die Zusammenhänge durchschaubar zu machen. Werner entwarf ein Bild des Erdaufbaus, das von älteren mythi-schen Vorstellungen befreit ist, trug eine beachtliche naturhistorische Samm-lung zusammen und wurde zum Begründer einer geologischen und mineralogi-schen Schule, deren Wirkungen in der Lehre wie im praktischen Bergbau nachweisbar sind. Ferber war eine ähnliche Wirkung versagt, nicht zuletzt, weil er nur wenige Jahre in Berlin als Mitglied der Akademie der Wissen-schaften tätig sein konnte.

Ausbildung und Forschung zielen im 18. Jahrhundert zunehmend auf prakti-sche ökonomische Zwecke. Das drückt sich auch in der Wissenschaftsorgani-sation aus. Welche Bedeutung Leibniz am Anfang des Jahrhunderts für diese gehabt hat, braucht hier nicht erwähnt zu werden, aber es sei darauf hinge-wiesen, daß er zugleich eine fruchtbare Beratertätigkeit ausübte und daß es auch ihm vor allem um praktikable Vorschläge ging. Er bereitete also das Feld vor, auf dem ein halbes Jahrhundert später die Saat aufgeht. Vor allem auch die Gelehrten, die sich der Mineralogie und der Bergbauwissenschaft zuwenden, sind Sammler, Forscher und Praktiker in einer Person und damit gleichermaßen auf die ökonomischen Interessen des Staates und die Institu-tionen der Wissenschaftsorganisation angewiesen.

Damit erhält auch der Mäzen eine Schlüsselstellung. Im 18. Jahrhundert wird er meist durch die Gestalt eines einsichtigen Fürsten repräsentiert, der entweder unmittelbar oder über eine Akademie, Wissenschaftliche Gesellschaft oder Universität die notwendigen Mittel für den Lebensunterhalt und die Forschungsreisen der Gelehrten sowie die Einrichtung der Kabinette und Bibliotheken bereitstellt. Er wird zum Auftraggeber und versucht das Arbeitsziel des Gelehrten mitzubestimmen, indem er es seinen wirtschaftlichen, militärischen oder politischen Zwecken unterordnet.

Ferber unternimmt im Dienste des Königs von Polen Stanislaw August eine Reise, die dazu dienen soll, im Zuge der politischen Ereignisse verlorengegangene Bodenschätze durch Erschließung neuer Fundstellen und Verbesserung alter Gruben zu kompensieren. Vor allem aber entwickelt er in seinen letzten Lebensjahren als preußischer Beamter eine lebhafte Tätigkeit in diesem Sinne. In seinen Briefen aus dem Jahre 1786 spiegelt sich auch die delikate politische Situation, in der solche Missionen gegebenenfalls ausgeführt werden müssen. Auch nimmt er 1786 an der berühmten Gründungsversammlung der "Sozietät für Bergbaukunde" in Glashütte bei Schemnitz teil und prüft als preußischer Experte die Möglichkeiten des warmen und kalten Amalgamationsverfahrens. 1788 besichtigt er das erste kontinentale Koksofenwerk in Le Creusot, das dann im oberschlesischen Gleiwitz nachgebaut wird.

Ferber ist der typische Vertreter einer Epoche, die heute als erste industrielle Revolution bezeichnet wird, einer Zeit, in der sich die Naturwissenschaften und Ingenieurwissenschaften schrittweise emanzipieren und in der für diese Entwicklung im gesellschaftlichen und ökonomischen Bereich vom Bergbau und der Verarbeitung seiner Erträge wichtige Impulse ausgehen. Die besonderen Formen der wissenschaftlichen Betätigung hängen i m m e r eng mit der Organisation der Lehre und der Forschung zusammen sowie mit ihren Wechselbeziehungen zur Praxis. Dieser Bereich wird in der zweiten Hälfte des 18. Jahrhunderts durch die Stichworte ökonomisches und politisches Interesse des Staates, Kommunikation in Akademien, wissenschaftlichen Gesellschaften und Universitäten, Information durch Reisen, Dokumentation und Sammlung markiert. Dazu tritt die wichtige Rolle der wissenschaftlichen Publikationen, durch die auch der Unternehmergeist der Verleger als besondere Form in die Wissenschaftsorganisation eingegliedert ist. Auf Grund von Arbeiten der Wissenschaftler wurde der Bergbau technisch weiterentwickelt und dadurch die Industrialisierung gefördert. Der Staat trat gerade in diesem Bereich als Unternehmer hervor, die Tätigkeit des Gelehrten aber wurde immer mehr zu einem ökonomischen Faktor. Gerade diese Erscheinungen in der ersten industriellen Revolution spiegeln die nun folgenden Briefe des Mineralogen Ferber an den Verleger Nicolai.

Albrecht Timm

Mitau d 5 Decembr. 1776.

Gestern erhielte ich mit der reitenden Post Ewr. HochEdelgebohrnen geehrtes Schreiben mit dem Verzeichniße der von mir erwarteten Recensionen für d. allgem. d. Bibliothek. Ewr. HochEdelgeb. schreiben, daß Sie
diese Recensionen nur auf Michaelis von mir verlangen, welche Zeit jetzt
beynahe schon vor 2 Monaten vergangen ist. Ich schließe daher, daß ihr
Brief sehr lange unterwegens gewesen seyn muß, wovon ich um so weniger
die Ursache errathen kann, da er mit der reitend: Berliner Post ankam
und 67 1/2 gr. Pr: Ct. porto kostete. Ich melde dieses nur darum, daß
ich auf diese Art vielleicht erfahren möge, ob nicht in Memel, wie ich aus
andern Ursachen beynahe glauben muß, einige Unordnungen mit meinen
Briefen vorgehen. Es ist jezt die Frage, ob diese Recensionen nicht zu
spät kämen. Ich wünschte ohnehinn, daß ich den Anfang dieser Arbeit noch
einige Monathe aussezen dürfte und zweifle nicht, Ew. HochEdelgebohrnen
werden so gütig seyn, diesmal mit mir Nachsicht zu haben, wenn ich Ihnen
melde, daß sich eine süße Leidenschaft meiner bemächtiget hat, und daß
ich im Begriff bin, im Anfange des künftigen Jahres mich mit einem guten
Mädchen, der jüngsten Tochter eines hiesigen Kaufmannes, nahmens Eli-
sabet Jacobson, zu verheurathen. Die Gewogenheit und Freundschaft Ew.
HochEdelgebohrnen für mich laßen mich zuverläßig hoffen, daß Sie mir zu
dieser Entschließung Glück wünschen, und mich auf einige Monathe von einer Arbeit dispensiren, die, wenn ich sie vornehmen müßte, wahrscheinlich nicht sonderlich gelingen würde. Leicht werden Ew. HochEdelgebohrnen für dieses mal einem andern die mir zugedachten Recensionen auftragen können. Nachher bin ich wieder zu Befehl.

Ich habe einen Freund in Berlin, der wahrscheinlich auch der ihrige ist.
Ich meine den h^n Prof: Engel, und ich bitte, ihn recht sehr von mir zu
grüßen

Mit ausnehmender Hochachtung und Ergebenheit habe ich die Ehre zu seyn

Ewr. HochEdelgebohrnen

gehorsamer

Ferber.

Die ALLGEMEINE DEUTSCHE BIBLIOTHEK, die von Friedrich
Nicolai herausgegeben wurde, erschien von 1765 bis 1796
in 118 Bänden und fand in 106 Bänden der NEUEN ALLGEMEI-
NEN DEUTSCHEN BIBLIOTHEK bis 1806 eine Fortsetzung. In
der Vorankündigung legte Nicolai das Programm dieser Re-
zensionszeitschrift folgendermaßen fest: "Bei dem Verle-
ger der 'Briefe, die neueste Literatur betreffend' wird
in der Ostermesse 1765 der erste Teil eines neuen perio-
dischen Werkes unter dem Titel 'Allgemeine deutsche Bi-
bliothek' erscheinen. Die Absicht ist, in dieses Werk die
ganze neue deutsche Literatur von dem Jahre 1764 ab zu
fassen. Man wird darin von allen in Deutschland neu her-
auskommenden Büchern und anderen Vorfällen, die die Li-
teratur angehen, Nachricht erteilen. Der Verleger siehet
die Weitläuftigkeit dieses Planes sehr wohl ein, und die
Schwierigkeiten, die sich einer vollkommenen Ausführung
desselben widersetzen; aber er läßt sich dadurch von ei-
nem solchen Unternehmen nicht abschrecken, welches, wenn
es nur mit einiger Vorzüglichkeit ausgeführt wird, mit
vielfältigem Nutzen für alle Liebhaber der neuesten Lite-
ratur begleitet sein muß. Die sind in Deutschland in vie-
len Städten, wo nicht einmal ein Buchladen befindlich ist,
zerstreut, und ihnen ist also sehr damit gedient, zuver-
lässige Nachrichten von den deutschen Büchern und ihrem
wahren Wert zu erhalten, und vielleicht wird es ihnen auch
nicht unangenehm sein, jährlich gleichsam die ganze neue-
ste Literatur in einem Gemälde auf einmal zu übersehen. Der
Verleger hat sich deswegen vorzüglich um geschickte Mitar-
beiter bekümmert; er hat sie in allen Gegenden Deutschlands
aufgesucht, und er ist so glücklich gewesen, daß sich nicht
allein eine ziemliche Anzahl Gelehrte zu dieser Arbeit wil-
lig finden lassen, sondern auch zum Teil Männer von so be-
kannten Talenten, daß ihre Namen allein das Lob des Werkes
ausmachen könnten, wenn er sie nennen wollte."

Über ELISABETH JAKOBS - Jakobsohn ist eine Nebenform des
Namens, für die es in der damaligen Zeit Parallelen gibt -
schreibt der Mitarbeiter der "Berlinischen Monatsschrift"
(Bd.16, 1790, S.298) in seinem Nachruf auf Ferber: "Hier
war Ferbern das schönste Glück seines Lebens beschieden:
er heirathete den 29.Jänner 1777 seine liebenswürdige Gat-
tinn, geb. Agnes Elisabeth Jakobs, welche die zärtliche
und treue Gefährtinn seines Lebens und selbst seiner letz-
ten großen Reisen ward."

Mitau d. 26. März 1777

Ich beruffe mich auf mein leztes an Ew. HochEdelgeb. abgelaßenes
Schreiben vom 5ten December und melde izt, daß ich bereit bin Ew.
HochEdelgebohrnen Befehle wegen Recensionen für die allgem: d: Bibliothek zu vollziehen, wenn Sie die Güte haben wollen, diejenigen, diese be-
vorstehende Ostermeße, neu herauskommende Schriften aus meinem Fache zu benennen, die Sie von mir recensiert haben wollen. Vorzüglich
würde ich mir solche Schriften zum recensieren wünschen, die die Mineralogie und die Bergwerkwißenschaften am nächsten angehen. Wie ich solche am geschwindesten zum Durchlesen erhalten könne, belieben Ew. Hoch-
Edelgeb. mit unserm gemeinschaftl. Freunde d. hn Hintz mündlich zu
überlegen, der ich mich dero fortdauernder Gewogenheit und Freundschaft
bestens empfehle und mit aller Hochachtung bin

Ewr. HochEdelgebohrnen

ergebenster

J. J. Ferber.

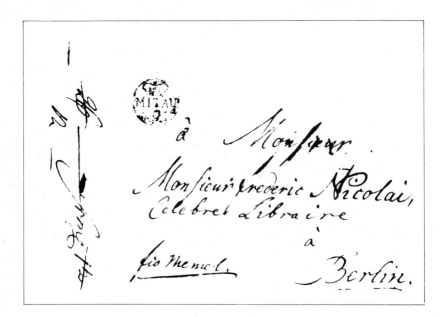

Der Schwede Ferber heiratete durch diese Ehe in die kurländische bürgerliche Gesellschaft ein, wie das die Vorfahren seiner Frau auch gemacht hatten. Sein Schwiegervater, der Mitauer Seidenhändler und Stadtälteste Gottlieb
Abraham Jakobs, war 1711 in Leipzig oder Hamburg als Sohn
eines Kaufmannes geboren worden, wanderte nach Kurland
ein und heiratete Helene Sophia Bruno. Deren Vater, Johann Bruno, stammte aus Minden, wurde als Kaufmann in
Mitau ansässig und heiratete Helene Barbara Schriever,
deren Vater Mitauer Kaufmann war. Johann Bruno starb 1744
und seine Frau heiratete in zweiter Ehe wieder einen eingewanderten Kaufmann, nämlich den Weinhändler Johann
Friedrich Kymmel aus Minden, der es bis zum Stadtälter-
mann brachte. Seine Söhne bekleideten als Kaufleute in
Dorpat wichtige Ämter und wurden 1792 in Wien nobilitiert.

Die älteste Schwester von Elisabeth Jakobs, Helene Dorothea (geb. 1750), wurde die Frau des über zwanzig Jahre
älteren Witwers Friedrich Stegmann, der als Jurist, Libauer Stadtsekretär und kgl.polnischer Hofrath eine angesehene Stellung einnahm (vgl. auch Brief 36). Die zweite
Schwester Sophia Margaretha (geb. 1753) war mit dem Juristen, späteren Gutsbesitzer und Kreismarschall Peter Bienemann verheiratet, der 1794 als Bienemann von Bienenstamm
geadelt wurde (vgl. auch Brief 13).
Es war also ein Kreis von Juristen, Beamten und Kaufleuten,
in die der Gelehrte Ferber aufgenommen wurde und der durch
ihn, wie der Briefwechsel zeigt, mit Friedrich Nicolai und
der Berliner Aufklärung in Beziehung trat.

Johann Jakob ENGEL, der hier wahrscheinlich gemeint ist,
geb. 1741 in Parchim, gest. 1802 ebenda, war seit 1776
Professor für Moral und schöne Wissenschaften am Joachimsthaler Gymnasium in Berlin. Engel gehörte als Theaterdich-
ter, Kritiker und Essayist zu den bedeutenderen deutschen
Schriftstellern des 18. Jahrhunderts, die der Berliner
Aufklärung nahestanden. Er war auch Mitarbeiter der Berlinischen Monatsschrift. Durch seine "Ideen zu einer Mimik"
(2 Bde., Berlin, Mylius 1785/86) wurde er zu einem Vor-
läufer der modernen Ausdruckspsychologie. (Vgl. A.Elschen-
broich in NDB, Bd.4, S.504)

Jakob Friedrich HINZ, vgl. Brief 3

Vor ungefär 12 biß 14 Tage erhielte ich durch dh Hinz Ew. HochEdelgebohrnen Schreiben vom 4ten Junius mit dem eingeschloßenen OstermeßCatalog, wofür ich sehr danke. Ebenfalls hat mir dh Hinz die Nachrichten
wegen der Ausgabe des Leben Johann Bunkels überliefert, die ich hier an
die Herren, an welche sie von Ew. HochEdelgeb. bestimmt waren, ausgetheilt und selbst das beygeschloßene gedruckte avertissement unsern Zeitungen habe beyfügen laßen. Ich werde nun sehen, wie viele praenumeranten zu erhalten sind und es künftig melden. Aus den Erfahrungen zu schließen, die ich hier schon mit Einsammlen von subscriptionen u praenumerationen auf verschiedene Werke, meinen Freunden zu gefallen, gemacht habe, wage ich keinen großen Abgang hier zu hoffen; weil unser Publikum gewiß noch zu weit in der Litteratur und in der Begierde zu lesen zurück ist.
Einige Werke, die unser Freund Hinz verlegt hat, führen zwar große Na-
mensverzeichniße der Beförderer und Abnehmer des Werks, bloß hier in
Curland, an der Stirne; es hat aber sein eigenes Bewandniß damit, und viele haben nachher sich nicht erinnern wollen subscribirt zu haben. Bey der
praenumeration läuft man keine Gefahr; es pflegen sich aber nicht so viele
zu melden. Wir wollen sehen, wie es diesmal geht.

Alle mir aufgetragene Recensionen, sowohl A als B, werde ich übernehmen,
und so bald als möglich seyn wird, anfertigen. Um Michaeli denke ich damit fertig zu seyn. Hat es etwa noch länger Zeit, oder ist dies etwa der äu-
ßerste Termin? Ich werde Ew. HochEdelgeb. auf meine Recensionen so viel
an mir liegt nie warten laßen; weil ich aber mehr Arbeit unter Händen habe,
wünsche ich allemal die Zeit genau zu erfahren, wenn ich fertig seyn muß,
um meine Zeit und Verrichtungen gegen einander gehörig abzumeßen. Wie
überschicke ich alsdenn die Recensionen? Vermuthlich mit der reitenden
Post biß Memel und von da mit der fahrenden nach Berlin, falls es viel
wiegt. Noch eh' ich Ew. HochEdelgeb. letzte Zuschrift erhielte, hatte ich
angefangen einige neue Bücher, die ich las, zu recensieren. Das Verzeichniß derselben folgt hier beygeschloßen. Können Sie einige davon brauchen,
so ersuche ich es mir bald zu melden, damit ich sie kann rein schreiben
laßen und um Michaeli den übrigen beyfügen, oder auch besonders schicken,
im Fall sie früher nöthig wären. Ich warte dieserwegen auf Nachricht!

Ew. HochEdelgeb: Anfrage wegen der Wallerischen Mineralogie u Hydrologie ist ein Merkmal des gütigen Zutrauens zu mir, welches ich immer bey-
zubehalten wünsche und mit Danck erkenne. Die neue lateinische Ausgabe
der Mineralogie besteht nur aus 2 Octavbänden und ist in Wahrheit ein gutes
Buch, einige Irrungen ausgenommen, die in Anmerk. verbeßert werden
könnten. Es verdiente also wohl durch eine Übersezung gemeinnüziger zu
werden. Aber zu einem akad. Lesebuch ist es viel zu weitläuftig. Ein Auszug daraus? Es mögte wenig weggelaßen werden können; die Zusätze u An-

> *Leben, Bemerkungen und Meynungen JOHANN BUNKELS,*
> *nebst den Leben verschiedener Frauenzimmer. Aus*
> *dem Englischen übersetzt, mit hinzugefügten Bemer-*
> *kungen und Meynungen, und 16 Kupfern von D.Chodo-*
> *wiecki. Erster Theil 418 Seiten, nebst 3 Bogen Vor-*
> *rede und Inhalt. Zweyter Theil 468 Seiten. Dritter*
> *Theil 488 Seiten. Vierter Theil 322 Seiten in 8.*
> *Berlin, bey Nicolai 1778.*

Die Anmerkungen stammen von Hermann Andreas Pistorius, ei-
nem Mitarbeiter der "Allgemeinen deutschen Bibliothek".
Dieses Buch wurde zum Anlaß der Entzweiung von Wieland
und Nicolai. Wieland besprach das Werk im "Deutschen Mer-
kur" äußerst negativ und warf Nicolai vor, bei der Pränu-
meration "Verlegerkniffe" angewandt zu haben. Das führte
dann zu einer Polemik Nicolais gegen Wieland, die sich in
zwei Schriften "Ein Paar Worte betreffend Johann Bunkel
und Christoph Martin Wieland." Berlin und Stettin, Nicolai
1779. 23 S., und "Noch ein paar Worte betreffend Johann
Bunkel und Christoph Martin Wieland", Berlin und Stettin
1779. 40 S., sowie in der "Allgemeinen deutschen Bibliothek",
Bd.36, Anh.1, und Bd.37 niederschlug.

AVERTISSEMENT, Nachricht, Meldung, Ankündigung

PRÄNUMERATION, Vorausbezahlung eines geplanten Buches

SUBSCRIPTION, das Unterschreiben; im Buchhandel die Ver-
pflichtung, ein vorbestelltes Werk, das noch nicht er-
schienen ist, abzunehmen.

Jakob Friedrich HINZ, geb. 1734 (?) in Neidenburg (Preußen),
gest. 1787 in Pernau, besuchte in Königsberg die Schule und
Universität und wurde dann Hauslehrer. Befreundet mit Johann
Georg Hamann, Theodor Gottlieb Hippel, Johann George Scheff-
ner, Johann Friedrich Hartknoch und Johann Gottfried Herder,
betätigte sich Hinz nicht nur literarisch, sondern auch als
Bruder Redner in der Königsberger Freimaurerloge "Zu den
drei Kronen". Von Hamann empfohlen, wurde Hinz 1764 Kolla-
borator (Hilfslehrer) an der Rigaer Domschule und damit un-
mittelbarer Vorgänger von Herder. 1769 übernahm er zusammen
mit Wilhelm August Steidel die Mitauer Filiale der Hart-
knochschen Buchhandlung und wurde Verleger u.a. von
Schriften Hamanns, Bahrdts und Scheffners. Auch in Mitau
war er aktiver Freimaurer und spielte eine Rolle bei der
Entlarvung Cagliostros während dessen Aufenthalts in der
kurländischen Residenz.
Über das weitere Schicksal von Hinz enthält dieser Brief-
wechsel einige Mitteilungen. Nachdem er seine Buchhand-

merkungen hingegen das Werk noch voluminöser machen. Die alte Ausgabe taugt jezt gar nicht mehr. In derselben aber ist ein Zusaz oder appendix de mineralibus artefactis, welcher in der neuen Ausgabe fehlt, ungemein nüzlich ist, nur unvollständig. Am besten wäre, aus diesem appendice eine eigene Abhandl. zu machen und besonders heraus zugeben. Aus der Wallerischen Hydrologie getraute ich mir auch, durch Zuziehung meiner Schriften, ein brauchbahres Werk zu machen. Sie ist nur einmal in Schweden aufgelegt und nachher gar nicht weiter verbeßert. Mir ist es jezt ganz unmöglich etwas von diesen Arbeiten zu unternehmen; weil ich einige eigene Abhandlungen unter Händen habe. Von anderen Mineralogen, die schon ähnliche Übersezungen unternommen haben, wären dh D. u Professor Gehler in Leipzig, dh Oberbergrath Gerhard in Berlin oder hr Prof. Weigel in Greifswalde beynahe die einzigen, die ich vorzuschlagen weis. Ich wünsche zu erfahren, wozu Ew. HochEdelgeb. sich entschließen. In mehr als einer litterarischen Absicht wünschte ich näher an Berlin leben zu können. Ich bin hier würklich zu sehr von dem Würkungskreise der Gelehrsamkeit entfernt, habe mit 1000 Hindernißen und Schwierigkeiten zu kämpfen, und fühle es immer mehr und mehr, daß ich hier nicht am rechten Orte lebe. Keine lebendige Seele giebts hier, die mit mir gleiche Wißenschaften treibt; alle Augenblick fehlt mir dies oder jenes Buch zum Nachschlagen bey eigenen Ausarbeitungen; weil ich hier keine andere resource von Büchern aus meinem Fache, als in meiner eigenen kleinen Büchersammlung, habe.

Der Glückwunsch von einem Freunde kommt nie zu spät, und darum danke ich herzlich für den ihrigen zu meiner ehelichen Verbindung. Ich lebe Gott lob in dieser Betrachtung so glücklich als möglich.

Ich erwarte nächstens einige Zeilen zur Antwort auf diesen Brief, aber ja gerade mit der Post!

Aufrichtig und mit wahrer Hochachtung bin ich

Ewr. HochEdelgebohrnen

ergebenster Diener

J. J. Ferber.

Mitau d 31 Julius 1777.

*lung aufgeben mußte, arbeitete Hinz als Hofmeister, dann
als Advokat in Hasenpot in Kurland und schließlich in Pernau, wo er ganz plötzlich starb.*

> Johann Georg WALLERIUS: Systema mineralogicum.
> 2 Bde. Wien, Kraus 1778.
> Johann Georg WALLERIUS: Hydrologie oder Wasserreich.
> Berlin, Nicolai 1751.

*Wohl als Frucht von Ferbers Rat erschien im Verlag von
Friedrich Nicolai:*

> Johann Georg WALLERIUS: Mineralsystem, in einem Aus-
> zug gebracht mit äußern Beschreibungen der Fossilien
> und Zusätzen herausgegeben von N.G.Leske und M.Heben-
> streit. 2 Teile, Berlin, Nicolai 1781-1783.

Als geeignete Übersetzer nennt Ferber:

*Johann Samuel Traugott GEHLER, geb. 1751 in Görlitz, gest.
1795 in Leipzig. Obgleich im Dienste des Magistrats der
Stadt Leipzig, "galt seine ganze Liebe der Beschäftigung
mit den mathematischen und physiko-chemischen Wissenschaften". Besondere Bedeutung erlangte er als Übersetzer wissenschaftlicher Literatur. Seit 1778 besorgte er die im
Verlag Dyk, Leipzig, herauskommenden Sammlungen für Physik
und Naturgeschichte, in denen sich Übersetzungen von ihm
befinden. (Vgl. Schimank in NDB Bd.6, S.134 f.)*

*Carl Abraham GERHARD, geb. 1738 in Lerchenborn bei Lieg-
nitz, gest. 1821 in Berlin. Ursprünglich Mediziner, wandte er sich schon früh mineralogischen Studien zu. Seit 1768
war er Mitglied der Preußischen Akademie der Wissenschaften
und Bergrat. Gerhard verfaßte zahlreiche Werke über Mineralogie und wurde von Ferber geschätzt. In der Besprechung
von Gerhards Übersetzung der Schrift "Gabriel Jars, ...
Metallurgische Reisen zur Untersuchung und Beobachtung der
vornehmsten Eisen-Stahl-Blech- und Steinkohlenwerke in
Deutschland, Schweden, Norwegen, Engelland und Schott-
land, vom Jahr 1757 bis 1769. Berlin, Hamburg 1777",
die in Bd.34 der Allg.dt.Bibl. erschien, hebt Ferber dessen Anmerkungen hervor, "die neue Beweise seiner mineralogischen und chymischen Einsichten sind". (S.513)*

*Christian Ehrenfried WEIGEL, geb. 1748 in Stralsund, gest.
1831 in Greifswald, war seit 1775 Professor der Botanik
und der Chemie in Greifswald und Aufseher des Botanischen
Gartens. Er hatte 1775/76 die "Physische Chemie" von Wallerius (Leipzig, Crusius) übersetzt und mit Anmerkungen
versehen und veröffentlichte Schriften über verschiedene
Gebiete der Naturwissenschaften. Ferber hatte erhebliche
Bedenken gegen ihn wegen einer gewissen Leichtfertigkeit
im Urteil, schätzte ihn aber als Übersetzer.*

Mitau d. 10. August 1777.

Ich berufe mich in allen Stücken auf mein leztes Schreiben, welches vor
einigen Posttagen von hier ab ging. Eine litterarische Angelegenheit veranlaßet mich zu gegenwärtigen Zeilen und zu einer Bitte, durch deßen Erfüllung Ew. HochEdelgebohrnen mir eine besondre Freundschaft erweisen
werden. Aus des h Pr.Beckmanns phys: oekon: Bibliothek, VII Bandes
4^m Stücke, habe ich ein Werck kennen gelernet, welches mir zu einer jezt
eben unter Händen habenden Arbeit ganz nothwendig ist. Weder hier in Mitau, noch in Riga oder Königsberg kann ich es erhalten. Es ist ein Stück
der Description des Arts et metiers der französ: Akademie, welches, so
viel ich weis, noch nicht ins Deutsche übersezt worden. Es heißt:

L'art du Distillateur d'eaux-fortes etc. par M. Demachy etc. Paris 1773.
198 Seiten in fol. mit 12 Kupfertafeln,

und ist nicht mit l'art du distillateur liquoriste von ebendem Verfaßer, zu
verwechseln, welches ich nicht brauche.

Haben Ew. HochEdelgebohrnen selbst oder sonst jemand in Berlin dieses
Werck, und ich es entweder geliehen (welches mir freylich wohl am liebsten wäre) oder zu Kauf bekommen kann, so ersuche ich ergebenst und an-
gelegentlichst mir solches mit der ersten fahrenden Post von Berlin nach
Memel zu senden, wo ich alsdenn wegen des weitern Transports veranstalten muß. Ich bitte recht sehr, daß Ew. HochEdelgeb. die Güte haben, mich
gleich nach Empfang dieses Briefs durch ein paar Worte, mit der reitenden
Post, zu benachrichtigen, ob ich gedachtes Buch erhalten werde? Zu allen
Gegendiensten bin ich so schuldig als willig und verharre mit Hochachtung

Ew. HochEdelgebohrnen
ergebenster D^r

Ferber

PHYSIKALISCH-ÖKONOMISCHE BIBLIOTHEK, Bd.1-23. Göttingen, Vandenhoek 1770-1806. Band 1 bis 18 dieser Zeitschrift wurden von Johann Beckmann herausgegeben.

Johann BECKMANN, geb. 1739 in Hoya a.d.Weser, gest. 1811 in Göttingen, studierte in Göttingen und folgte dann nach einer Bildungsreise einem Ruf an die luth. Petrischule in St.Petersburg, wo er den bedeutenden Historiker August Ludwig Schlözer kennenlernte, mit dem er auch später, als beide an der Universität Göttingen lehrten, in Freundschaft verbunden blieb. 1765 bereiste Beckmann Dänemark und Schweden, wo er durch Linné entscheidende Anregungen erhält. Nachdem er 1766 außerordentlicher Professor geworden war, wirkte er seit 1770 bis zu seinem Tode als "Professor ordinarius oeconomiae" an der Universität Göttingen. Schon im 2. Band der "Physikalisch-ökonomischen Bibliothek" erschien erstmalig der Begriff "Technologie", und man kann ihn als Begründer dieser Wissenschaftsdisziplin betrachten. Ebenso wie Ferber war Beckmann Rezensent der Allgemeinen deutschen Bibliothek und Berater Nicolais. (Lit.: A.Timm, Kleine Geschichte der Technologie. Stuttgart 1964 = Urban-Buch 78)

Jacques-François DEMACHY, geb. 1728 in Paris, gest. 1803 ebenda, entstammt einer nicht sehr begüterten Pariser Kaufmannsfamilie. Er besuchte das Gymnasium in Beauvais, wo er seine Neigungen sowohl für die Naturwissenschaften als auch für Literatur und Dichtung entdeckte. Nach einer Apothekerlehre erhielt er eine Anstellung als Laborant im berühmten Pariser Hospital Hôtel-Dieu. Bald machte er sich selbständig, doch gab er pharmazeutischen Experimenten den Vorrang vor dem Handel mit Medikamenten. So nahm er einen Lehrauftrag und die Stellung eines leitenden Pharmazeuten am Militär-Hospital Saint-Denis an. Demachy veröffentlichte Theaterstücke und literarische Studien. In seinen pharmazeutischen Untersuchungen, die er als Mitglied verschiedener gelehrter Gesellschaften publizierte, wandte er nicht das gerade diskutierte Klassifikationsschema der modernen Chemie an und verhielt sich gegenüber neuen Entdeckungen äußerst skeptisch. Hervorzuheben sind seine methodischen Arbeiten über chemische Prozesse und vor allem seine Abhandlungen über verschiedene Heilquellen in Frankreich.

Mitau d. 25st.September 1777.

Ich habe meine Antwort auf Ew. HochEdelgebohrnen leztes Schreiben vom 21sten Aug. etwas aufgeschoben, um zugleich den wichtigen Empfang des französischen Buchs melden zu können, welches denn auch gestern richtig angekommen ist. Ich bitte die Auslage dafür dieweil zu notiren, bis ich Gelegenheit finde meine Schuld abzutragen, und dancke unterdeßen, daß Ew. HochEdelgebohren für mich dieses Buch gekauft und mir zugesannt haben.

Mit der Subskription auf Bunkels Leben gehts nicht nach Wunsch. Erst 3 haben sich bey mir gemeldet, wozu das aber auch wohl beytragen mag, daß hier so viele meiner Kollegen mit kollektiren. Ich habe unterdeßen die Verlängerung des termins zur praenumerirung, drey mal in den Zeitungen auf Art, wie einliegendes Blatt anzeigt, bekannt gemacht.

Mit den mir aufgetragenen Recensionen bin ich so weit fertig, daß nur zwey noch zu machen übrig sind. Sie sind auch schon abgeschrieben in reine, so gut wie es hier für Geld zu stellen ist; denn auch das ist hier mit eine litterarische Ungelegenheit, daß man keinen guten Kopisten haben kann. Ich stuze mir unterdeßen jezt einen Menschen zu, und werde die Abschriften der Recensionen selbst kollationieren und korrigieren, so daß sie wenigstens leserlich und deutlich, obgleich nicht gut geschrieben, seyn sollen. In den ersten Tagen des Oktobers schicke ich diese Recensionen unfehlbar mit einem Fuhrmann nach Memel, wenn ein solcher zu rechter Zeit zu haben ist, und von Memel mit der fahrenden Post an Ew. HochEdelgebohrnen. Sonst schaffe ich sie bis Libau frey und als denn mit der reitenden Post 12 Meilen nach Memel. Ich werde nun sehen, ob Ew. HochEdelgeb. meine Art zu recensieren gut finden; sonst bitte ich um Erinnerungen, die ich vors Künftige als denn in Acht nehmen werde. Ich wünsche freylich wohl von einigen, als Verfaßer, nicht bekannt zu werden, obschon ich bloß nach meiner Einsicht und Überzeugung geurtheilet habe.

Ich danke Ew. HochEdelgeb: ganz ergebenst für die mir jederzeit durch d H. Hinz übersannte Theile d. allgem: deutsch: Bibliothek, die mir richtig abgeliefert worden, und mir bey meinen Recens: oft zum Nachschlagen dienen.

Die Lehmannische Kleine Anleitung zum Bergwesen ist wohl werth noch ein mal aufgelegt zu werden, wenn sie theils vermehrt, theils etwas zugestuzt und verbeßert würde. Vielleicht könnte ich künftig dabey etwas thun. Vor der Hand aber ist es mir aus Mangel der Zeit unmöglich.

Nun komme ich auf einen Punckt in Ew. HochEdelgeb. Schreiben, der mir starke Beweise ihrer edlen und freundschaftlichen Gesinnungen gegen mich und überhaupt giebt. Ich will mich aufrichtig darüber äußern und gegen einen Freund, der es gewiß für sich behält, damit hier niemand etwas davon erfahre. Ich gestehe Ihnen aufrichtig, mein   wehrtester Freund, daß ich gerne in Berlin eine Stelle haben mögte beym Bergdepartement, auch wohl allenfalls bey einer preußischen Universität, doch in aller Absicht am lieb-

Johann Gottlieb LEHMANN: Einleitung in einige
Theile der Bergwissenschaft. Berlin, Nicolai 1751.

Als Randbemerkung zu der Mitteilung Ferbers, daß er die
Bearbeitung des Buchs aus Zeitmangel nicht übernehmen
könne, notiert Nicolai: "Ob ers in 2 Jahr thun wolle, so
würde ich an kein andern denken."
Die Anfrage von Nicolai, auf die Ferber hier Bezug nimmt,
dürfte nach Rücksprache mit Rosenstiel, dem Sekretär des
Ministers von Heynitz, erfolgt sein. Nicolai und Rosenstiel kannten sich vom Montagsklub, einer geselligen
Vereinigung, die 1748 u.a. von Johann Georg Sulzer ge-
gründet worden war und in der Nicolai in den siebziger
und achtziger Jahren eine führende Rolle spielte.

Friedrich Philipp ROSENSTIEL, geb. 1754 in Modesheim (El-
sass), gest. 1832 in Berlin, studierte in Halle und wurde
1777 als Bergassessor bei der Bergwerks- und Hüttenadmi-
nistration in Berlin angestellt. 1780 Bergrat, 1786 Oberbergrat und 1790 Mitglied des Senats der Akademie der
Künste, wurde er 1802 Direktor der königlichen Porzellan-
manufaktur. Rosenstiel trat 1781, etwa zur selben Zeit
wie Nicolai, dem Freimaurerbund bei, in dem er eine erhebliche Rolle als Meister vom Stuhl in der Loge "zur
Eintracht" und als National-Großmeister spielte.
(Lit.: Geschichte der Großen National-Mutterloge in den
Preußischen Staaten genannt zu den drei Weltkugeln.
6.Ausgabe, Berlin 1903, S.496)

Ein Brief mit folgenden Ausführungen, die die nahe Zusammenarbeit zwischen Rosenstiel und Nicolai dokumentieren,
befindet sich im "Nachlaß Nicolai":
"P.P.
Ich habe mit Sr. Excellenz wegen der Reisegelder für H^n
Pr. Ferber gesprochen und sind dieselben ebenfalls in der
Vermuthung, daß es die Academie bezahlen müßte. Aber daß
diese dem H^n Prof. Bergmann 1500 Thlr angeboten habe als
ein Salarium, das er noch vor Marggrafs Tod empfangen solle, diese Versicherung des H^n Prof. Ferber soll ich veri-
ficiren und dann dürfte vielleicht zu des letzteren Gun-
sten noch etwas geschehen. Können Sie mir hiezu verhelfen? ...
Berlin den 1. Xbr. 77"

Ferber war an der ACADEMIA PETRINA IN Mitau tätig.
In der Besprechung der Schrift "Entwurf der Einrichtung
des von Sr.Hochfürstl.Durchl. dem Herzoge von Curland in
Mietau neugestifteten Gymnasii Academici" (Mietau, bey

sten in Berlin. Es ist aber natürlich, daß ich mich zu verbeßern und nicht zu verschlimmern wünschte; ich meyne in Absicht des Auskommens etc. Hier stehe ich in den äußern Umständen so übel nicht. Ich habe 400 Dukaten in Golde jährl. Gehalt, an Deputatstücken und Collegiengeldern (bloß für publique Collegia, private unberechnet) außerdem 80 à 90 #ten, und wenn das Getraide viel gillt, mehr. Wenn also Mitau nicht ein so theurer Ort wäre, so könnte ich davon gut genung leben. Nun aber geht viel der Theurung wegen, und zu litterarischen Bedürfnißen, die hier hoch zu stehen kommen, ab. Der würdige Herr P. Sulzer würde die Wahrheit von allem diesen bezeugen können; ich bitte aber Ew. HochEdelgeb. mit diesem rechtschaffenen Manne über diese ganze Sache gar nicht zu sprechen; weil ich in verschiedenen andern Sachen ehemals mein Mißvergnügen über die hiesige Lage, ihm nur gar zu oft habe melden müßen, und ich ihm weiter mit dem Andenken an Sachen, die ihm selbst unangenehm gewesen sind, nicht seine ohnehin schwache Gesundheit verderben will. Ich hätte gerne, sage ich, eine Stelle in Berlin, nur müste man mir meine hiesige Einnahme nichts abkürzen, und lieber, wenns seyn könnte verbeßern. Nichts ist darinn, wie ich glaube, von mir unbillig gefordert. Ich bin hier ohnehinn von allen möglichen Abgaben, Accise u dgl. frey; die Geschenke zu geschweigen, die mir der Herzog bisweilen giebt, die auch was betragen. Es ist wahr, im Preußischen sind die Gehalte klein; ich weis aber doch auch, daß der große König bey gewißen Gelegenheiten gnädig genug ist, Ausnahmen statt finden zu laßen; so wie kürzlich meinem Freunde und Landsmanne dh Prof. Bergmann in Upsal 1500 rTh^r Pr.C^t und freye Reise etc. angetragen sind, wenn er nach Berlin gehen wollte. Es käme also wohl hauptsächlich auf gute Freunde und Vorstellungen an. Der jezige Minister h von Heinitz in Berlin ist ganz gewiß mein Gönner und kennt mich persöhnlich und durch Briefwechsel. Ich werde ihm schreiben um ihn zu seinen neuen Posten zu gratulieren, vielleicht ihm auch etwas von meinen Wünschen merken laßen; ich kann mir aber auch wohl die Lage vorstellen, worinn ein ganz neu angekommener Minister seyn muß; und folglich sehe ich die Sache noch wohl für weitläuftig an. Können Sie, mein wehrtester Freund, durch die vielen und bedeutenden Verbindungen, die Sie gewiß haben, etwas zu meinen Vortheil auswirken, so thun Sie es ja und geben Sie mir davon Nachricht! Nur machen Sie gütigst alles auf die Art, als wenn ich gar nichts von ihren freundschaftlichen Bemühungen wüste, und halten Sie die Sache geheim! Da ich jezt verheurathet bin, muß ich für ein gutes Auskommen sorgen und kann also Mitau nicht anders verlaßen, als wenn ich meine Umstände verbeßere, wenigstens nicht verschlimmere. In meinem Vaterlande fehlt es mir nicht an Aussichten; ich bliebe aber gerne in Deutschland. Dies alles bleibt unter uns.

Leben Sie recht wohl und schreiben Sie mir so bald Sie können. Ich bin mit aufrichtiger Hochachtung und Ergebenheit

Ewr. HochEdelgebohrnen
ergebenster D^r
J.J. Ferber

Academie in Mitau (Gymnasium)

Jacob Friedrich Hinz. 1774) durch den Kieler Professor
Martin Ehlers in der Allg.dt.Bibliothek (Bd.26, 1775,
S.249 ff.) befindet sich eine zusammenfassende Darstel-
lung dieser Lehranstalt, die hier zu deren Charakteristik
wiedergegeben werden soll:
"Der Verf. hat alles unter sechs Hauptabschnitte gebracht.
In dem ersten zeigt er den Zweck und die allgemeine Beschaffenheit des Gymnasiums an. Im zweyten findet sich
eine allgemeine Anzeige dessen, was gelehret werden soll,
und der verschiedenen Lehrämter. Es sind nämlich berufen
ein Professor der Theologie, der Rechtsgelehrsamkeit, der
Philosophie, der Physik, der Mathematik, der Historie,
der Beredsamkeit, der lateinischen Sprache, und endlich
der griechischen Sprache. Darauf kommt drittens eine allgemeine Anweisung für sämmtliche Lehrer überhaupt, wie
dieselben ihr Lehramt verwalten sollen... Nun erfolgt
viertens die nicht weniger vortreffliche nähere Anweisung
für jeden Lehrer insbesondere in Absicht auf die Lehrart.
Diesem Abschnitt ist zuletzt ein Artikel hinzugefügt, der
von den Lectionen handelt, die unter dem Namen deutscher
Lectüre aufgeführt sind. Man vermuthet bey diesem Aus-
drucke leicht, daß gewisse Stunden zum Lesen deutscher
Schriftsteller bestimmt sind, welches von den Lehrern mit
der Jugend angestellt werden soll. Eine bisher noch wenig
übliche aber sehr nützliche Sache! Im fünften Abschnitte
findet man die Bestimmung und Austheilung der Lectionen
beyder Klassen des Gymnasiums. Die Klasse der Litteratur
oder die untere Klasse hat wöchentlich 28 Lectionen, unter welchen 8 zur lateinischen, 6 zur griechischen Sprache, 4 zu deutschen Übungen, 4 zur deutschen Lectüre, 2
zum Rechnen, 2 zur Geographie und 2 zur Historie bestimmt
sind. Die Klasse der Wissenschaften oder die obere Klasse
hat wöchentlich in allen 34 Stunden, wovon 2 Stunden zu
lateinischen Autoren, eine zu griechischen Autoren, 1 zur
raisonnirten Geographie, 1 zu chronologischen Tabellen,
3 zur eigentlichen Historie, 3 zur Beredsamkeit, 4 zur
Mathematik, 4 zur Physik, 4 zur Philosophie, 2 zum Recht
der Natur, 2 zu den römischen Antiquitäten, 2 zur Erklärung des Neuen Testaments, 2 zur hebräischen Sprache, 1
zur Kirchengeschichte, 2 zur dogmatischen Theologie und
zu Übungen im Predigen bestimmt sind ..."

Die oben genannten Lehrstühle waren zu jener Zeit wie folgt
besetzt:
Theologie: Johann Gabriel Schwemschuch (geb. 1733 zu Bar-
tenstein/Preußen); Rechtsgelehrsamkeit: Johann Melchior
Gottlieb Beseke (geb. 1746 in Burg/Magdeburg); Philosophie: Johann August Starck (geb. 1741 in Schwerin);
Physik (und Naturgeschichte): Johann Jacob Ferber; Mathematik: Wilhelm Gottlob Friedrich Beitler (geb. 1745 in
Reutlingen); Historie: Heinrich Friedrich Jäger (geb.1747

Mitau d. 16. Octobr: 1777.

Ewr. HochEdelgebohrnen werden ohne Zweifel mein leztes Schreiben vom 25sten Sept. erhalten haben, worauf ich mich beziehe. In den ersten Tagen dieses Monaths sannte ich alle die von mir verlangte Recensiónen franco bis Libau /: vielleicht auch so bis Memel, welches ich nicht gewiß weis :/ ab. Aus Libau habe ich schon Nachricht, daß sie an das Postamt in Memel befördert sind, welches in einem dabeygefügtem Schreiben ersucht wurde: das kleine Paket mit der ersten fahrenden Post an Ew. HochEdelgeb. zu befördern. Es war unter der enveloppe mit der addresse, in Wachstuch eingeschlagen, um die Näße abzuhalten. Daß es Drucksachen sind, war auch darauf geschrieben. Ich will nun wünschen, daß es gut ankömmt, und daß Ew. HochEdelgebohr. mit meinerArbeit zufrieden seyn mögen! Eine einzige Recension, nämlich von Cramers Metallurgie habe ich nicht verfertiget; weil der lezte Theil vermuthl: diese Michaelismeße erst heraus kömmt. Ich werde es alsdenn recensiren.

Mit aller Hochachtung und Freundschaft habe ich die Ehre zu seyn
Ewr. HochEdelgebohren ergebenster Dr Ferber

Friedrich II als zürnender Richter.

in Nürtingen); Beredsamkeit (und deutsche Literatur):
Johann Nicolaus Tiling (geb. 1739 in Bremen); lateinische
Sprache: Matthias Friedrich Watson (geb. 1733 in Königsberg); griechische Sprache: Carl August Kütner (geb.1749
in Görlitz).

Daß das LEBEN IN MITAU TEUER sei, ist eine Klage, die man
öfter hört. "Freilich die Lebensmittel und alles, was das
Land hervorbringt, sind ziemlich wohlfeil, nur das Holz
ist theuer. Für einen Faden 9 Fuß hoch und 8 Fuß breit,
giebt man 3 1/2 Thaler Albertus! Aber die Handwerker sind
theuer und excessiv theuer ist die Miethe. Starck bewohnt
die obere Etage im Hause der Generalin Bismarck (dem jetzigen adligen Fräuleinstift) und muß dafür 55 Thlr. jährliche Miethe zahlen. Auch der Gesinde-Lohn ist hoch und
das Gesinde schlecht; dazu muss man bei der grössten Ein-
schränkung 3 Menschen halten."
(C.F.Bahrdts Beziehungen zu Kurland. In: Balt.Monatsschrift,
Bd.21, Riga 1872, S.564)

Torbern Olof BERGMANN, geb. 1735 zu Katharinaberg in West-
gotland, gest. 1784 in Medevi, war seit 1767 Professor der
Chemie in Uppsala. Ebenso wie Ferber Schüler von Linné,
war er vor allem bedeutend durch Verbesserung der chemischen Analyse und Systematisierung der Mineralien.

Friedrich Anton von HEYNITZ (Heinitz), geb. 1726 in Drösch-
kau bei Belgern in Sachsen, gest. 1802 in Berlin, "gilt als
einer der größten deutschen Staatswirte des 18.Jahrhunderts
und der bedeutendsten Bergleute Preußens" (Schelhas). Nach
sorgfältiger theoretischer und praktischer Ausbildung wurde
Heynitz 1763 als Vizeberghauptmann mit der Leitung des ge-
samten Bergbaus im Harz betraut. Es folgten Reisen nach
Schweden und in die Steiermark. 1765 gründete er die Bergakademie in Freiberg in Sachsen. 1774 schied er wegen Mei-
nungsverschiedenheiten mit seinen Vorgesetzten aus dem
Staatsdienst und nutzte die folgende Zeit zu ausgedehnten
Studien. Im September 1777, also im Monat, in dem der vor-
liegende Brief geschrieben wurde, ernannte ihn Friedrich II.
zum Minister. Seine Leistungen als Organisator und Verwal-
ter des Bergbaus und der Industrie Preußens war ebenso bedeutend wie sein Beitrag zur wissenschaftlichen Ausbildung
von Spezialisten des Bergbaus durch Umgestaltung der 1770
gegründeten Berliner Bergakademie. Er stand der Berliner
Aufklärung nahe; so ist es auch verständlich, daß seine Beziehungen zu Friedrich Wilhelm II. gespannt waren und er
sich 1788 mit dem Gedanken trug, zu demissionieren.
(Walter Schelhas in NDB, Bd.9)

Kommentar zu Brief 6

    J.A. CRAMER: Metallurgie. 3 Teile mit Kupfern.
    Folio. Leipzig, Vogel, 1775-1777.

Mitau d. 20st. Nouemb. 1777.

Ewr. HochEdelgebohrnen Schreiben aus Leipzig vom 13ten Octobr. erhielte
ich richtig, und danke recht sehr für ihr gütiges Versprechen, mir aus
Berlin Nachricht zu ertheillen, was in der bewusten Sache zu hoffen seyn
mag. Vermuthlich werden in Absicht des Hauptpunckts Schwierigkeiten seyn,
die sich so leicht nicht heben laßen. Es ist lange her, daß ich an dh v. H.
Exc: selbst darüber schrieb, und ich habe Ursache überzeugt zu seyn, daß
Er vollkommen mein Gönner ist. Ich sehe aber wohl ein, daß sich solche
Sachen nicht erzwingen laßen. Es ist mir unterdeßen eine andre Aussicht
aufgestoßen, die aber noch nicht helle genug ist. Sollte die sich mehr aufheitern, so wünschte ich wohl, durch Ew. HochEdelgeb. vorher zu erfahren,
wie der Anschein in Berlin ist, damit ich nicht in eine gewiße Verlegenheit
käme, oder mir selber im Wege stünde, es sey nun auf die eine oder andre
Seite. Ich ersuche aber Ew. HochEdelgeb. nur gelegentlich und als von Sich
Selbsten darnach Sich zu erkundigen; weil jede Erinnerung oder Nachfrage
deswegen, die von mir käme, etwas unschicklich wäre, und sich mit dem
völligen Vertrauen, dem Schein nach, nicht reimen würde, welches ich würklich auf die Gnade und Gewogenheit des Ministers seze. Meine zweyte Bitte
ist die, daß Ew. HochEdelgeb. die Freundschaft für mich haben, gar Nie-
mandem in Berlin oder hier aus Curland von diesen Projekten etwas merken
zu laßen. Es giebt hier gewiße neugierige Leute, die schon etwas praesumi-
ren und sich vielleicht darnach erkundigen könnten. Ich habe aber Ursache
zu wünschen, daß die Sache ganz geheim bleibe, sie möge nun ausfallen, wie
sie wolle. Bloß dieserwegen führe ich diese Bitte an; denn sonst weis ich
gar wohl, daß das was ich Ihnen schreibe, verschwiegen bleibt, so bald ich
nur sage, daß mir daran gelegen ist. - dh v. H. - will mir einige Anmerkungen im Mst schicken, die h Delisle in Paris als Zusäze zu meinen Briefen
aus Wälschl., die neu aufgelegt werden sollen, verfaßet hat. Sollte Ew. Hoch-
Edelgeb. eine gute Gelegenheit mit einem zuverläßigem Reisenden hieher in
Erfahrung bringen, so bitte ich sie Sr Exc. anzuzeigen.

Mit der praenumerat: auf Bunkel, so wie auf jedem Buche, geht es hier
schlecht; doch werde ich wohl 6 à 7 zusammenbringen. - Noch weis ich kein
Wort von den neuen Büchern in meinem Fache, die diese Michaelismeße herausgekommen seyn mögen. Wenn Sie an H Hinz vielleicht Sachen schicken,
bitte ich ein Exemplar ihres BücherCatalogs von der diesjährigen und auch
von der vorigjährigen Michaelismeße (der mir auch mangelt) für mich bey-
zulegen. - Hoffentlich haben Sie jezt schon lange die von mir über Memel,
mit der fahr. Post, im Anfang Oktober abgesannten Recens. und Anzeigen
für d. a. d. Biblioth. erhalten.

*Nicolai reichte diesen Brief an Rosenstiel weiter, der
umgehend darauf antwortete. Dieses Schreiben im "Nachlaß
Nicolai" lautet folgendermaßen:
"Sie empfangen, hochgeehrtester Herr und Freund, beylie-
gend Hr Prof. Ferbers Brief wieder zurück, und hier die
Antwort des Ministers darauf:
'Ich hoffe, daß Hr Prof. Ferber indeßen meinen Brief erhalten und den Ruf sicher angenommen haben wird. Die De-
lisleschen Anmerkungen würde ich ihm schicken, wenn ich
nicht solche dem Hn Prof. bald hier in Berlin einhändigen
zu können hofte.'
Sie sehen also, mit welcher Bewußtheit Se Excellenz auf
diesen Mann zählen.
Und nun noch eine Frage in meinen Angelegenheiten: Haben
Sie keine Correspondenz mit Bauer, oder König, oder Stein
in Straßburg? und dürfte ich - im Fall Sie einigen Verkehr
mit einem dieser Leute hätten - Sie bemühen, 12 Livre, die
ich in Straßburg zu zahlen habe, hier anzunehmen und Ihren
Hn Correspondenten zu bitten, daß er solche dort an den
Mann, an den ich ein Briefchen beylegen möchte, auszu-
zahlen?
Berlin den 4ten Decembr. 1777.*

Rosenstiel "

*Jean Baptiste Louis Romé DE LISLE, geb. 1736, gest. 1790,
entstammte einem armen Elternhaus. Nach Militärdienst im
französischen Indien wurde er 1764 Schüler von Sage und
widmete sich völlig der neuen Mineralogie. Er ordnete und
beschrieb eine Sammlung, beobachtete die wiederkehrenden
kristallinen Formen mancher Gesteine und leitete seine
Schüler an, ebenfalls kristalline Formen zu messen. Sein
Hauptwerk "Essai de cristallographie" (1772) wurde in
Frankreich wenig beachtet, aber von Linné gelobt. Nur im
Ausland, vor allem auch in Preußen, anerkannt, führte er
ein ärmliches Leben. Der berühmte Kristallograph Haüy
war sein Schüler. (vgl. auch Brief 10)*

*Ferbers Schrift "BRIEFE AUS WÄLSCHLAND über natürliche
Merkwürdigkeiten dieses Landes an den Herausgeber derselben Ignaz Edlen von Born", die 1773 in Prag erschienen
war, wurde von Pnilipp Friedrich Freiherr von Dietrich
ins Französische (Straßburg 1776) und von Rudolf Erich
Raspe ins Englische übersetzt. Ebenso wie mit Raspe, bei
dem er in Kassel studiert hatte, war Ferber auch mit dem
Freiherrn von Dietrich gut bekannt, der als Korrespondie-
rendes Mitglied der Pariser Akademie sich mehrfach für die
Verbreitung deutscher mineralogischer Schriften in Frankreich eingesetzt hat.*

Ob und wie bald ich die Lehmannische Bergwerkswißenschaft zu einer neuen Auflage bereiten könnte, kann ich vor der Hand noch nicht gewiß sagen. Ich wünschte aber, daß BergCommissionsrath Charpentier in Freyberg diese Arbeit über sich nehmen mögte, der zugleich im Zeichnen sehr geschickt ist, und kleine vignetten oder Kupfer, die ganz compendiös seyn dürften, dazu verfertigen könnte. Dh v. Heinitz Exc. würden den h Charpentier leicht dazu überreden. Es würde gar nichts schaden, wenn das Werck etwas weitläuftiger würde, und das allgemeinste aus dem großen freyberg: Werke vom Bergbau, aus Delius Bergbaukunst etc. etc., kurz: die Anfangsgründe des Bergbaus überhaupt und den Kern der verschiedenen Anwendungen in verschiedenen Ländern in sich enthielte. Die kleine Mineralogie darin könnte ganz ausgelaßen werden. Lehmann hat ohnehin eine besonders ausgegeben, die nur wenige Bogen beträgt, und man hat jezt beßere Anleitungen.

Daß der P. Bergmann im Upsal würkl. nach Berlin, als Mitglied der Akad., vor wenigen Monathen beruffen worden, ward unter andern in der neuen Hamb. Zeit. No. 169 erzält. Die Bedingungen, unter welchen er beruffen war, sind mir durch Briefe aus Schweden bekannt geworden.

Ich empfehle mich Ew. HochEdelgeb. Freundschaft und bin mit vollkommener Hochachtung

dero

ergebenster D^r

J. J. Ferber

Brüderstraße mit Petrikirche um 1806

Johann Gottlob *LEHMANN*, geb. *1719 in Langenhenners-*
dorf bei Pirna, gest. 1767 in St.Petersburg, war ursprüng-
lich Mediziner, wandte sich aber bald den Naturwissen-
schaften, vor allem der Mineralogie, Chemie und Bergwerks-
wissenschaft, zu. Durch sorgfältige Beobachtungen im
Bergbau am Harz und im Mansfeldischen erwarb er sich ne-
ben theoretischen auch praktische Kenntnisse. Als preußi-
scher Bergrat wurde er 1754 ordentliches Mitglied der
Berliner Akademie der Wissenschaften. 1761 berief ihn Ka-
tharina II. nach St.Petersburg, wo er zum Professor der
Chemie und Direktor des kaiserl.Museums sowie zum ordent-
lichen Mitglied der Petersburger Akademie der Wissenschaf-
ten ernannt wurde. Seit 1765 führten ihn naturwissenschaft-
liche Reisen durch weite Teile Rußlands. Lehmann starb
bei einem chemischen Experiment.

Johann Friedrich Wilhelm von *CHARPENTIER*, geb. *1738 in*
Dresden, gest. 1805 in Freiberg, studierte Rechts- und Na-
turwissenschaften in Leipzig und wurde 1766, also bald
nach der Gründung der Bergakademie in Freiberg, dort
Professor der Mathematik und der Physik. Charpentier war
aber nicht nur Wissenschaftler, sondern auch ein bedeu-
tender Praktiker. Seit 1773 Mitglied des sächsischen Ober-
bergamtes, war er kurze Zeit Direktor des Alaunwerkes zu
Schwemsal und richtete 1787 auf Grund von Erfahrungen, die
er auf einer Reise durch Nordungarn gemacht hatte, das
Amalgamationswerk in Halsbrücke ein. Als Berghauptmann
stand er seit 1802 an der Spitze des sächsischen Bergwe-
sens.
(Lit.: E.Krenkel in NDB, Bd.3, S.193; Poggendorff Bd.1,
S.422 f.)

Anleitung zu der Bergbaukunst nach ihrer Theorie
und Ausübung, nebst einer Abhandlung von den Grund-
sätzen der Bergkammeralwissenschaft, für die Kay-
serl.Königl.Schemnitzer Bergakademie entworfen von
Christoph Traugott DELIUS, k.k.Hofrath, Wien, auf
Kosten des höchsten Aerarii, bey Trattner, 1773 in
gr.4 mit 24 großen Kupfertafeln.

Mitau d. 7. December 1777.

Mein liebster Freund, Recht herzlich dancke ich Ihnen für ihren freund-
schaftl. Brief vom 29sten Nov., den ich diesen Augenblick erhielte. Seyn
Sie versichert, daß ich ihr mir gemachtes Vertrauen von den Nebenumstän-
den bey meinem Rufe nach Berlin und vor allem, was dabey unter uns bleiben
muß, nie mißbrauchen werde; sondern als einen Heiligthum ansehe, der mit
mir begraben werden soll. Daß ich Sie recht herzlich für alle ihre thätige Bemühungen und Proben ihrer edlen Freundschaft danke, will ich hier nicht
weitläuftig versichern. Sie dürfen nur voraussezen, daß ich keine ganz ge-
fühlloose Seele habe, so müssen Sie von meiner Danckbahrkeit und Ergebenheit versichert seyn. Der Ruf unter den Ihnen bekannten Umständen ist würklich mit voriger Post in einem Schreiben des Ministers an mich gelangt, und
obschon die Bedingungen in Absicht des Interims Gehaltes nur 1200   rTh betragen, so werde ich doch den Ruf annehmen, <u>wenn</u> es ganz unmöglich seyn
sollte, mir vor der Hand eine Zulage zu verschaffen. Ich schrieb mit voriger
Post an den vortrefflichen Minister, und bat ihn aufs dringendste zu versuchen, mir eine Erhöhung des Gehalts und freye Reisekosten zu verschaffen;
da ich aber von seinen gnädigen Gesinnungen gegen mich ganz überzeugt bin,
und er also für mich alles mögliche bewürken wird, so habe ich mich ganz in
seine Arme geworffen und diesen liebenswürdigen hohen Gönner gebethen zu
thun was er kann, und, falls nichts mehr, als was angeboten ist, auszurichten wäre, auch als denn mir die Stelle zu geben und dafür zu sorgen, daß in
meinem patente alle Punkte meines jezigen und künftigen Engagements aufs
deutlichste ausgedrückt und aufs kräftigste mir versichert werden. Da Sie,
mein Bester, mit dem Sekretär Sr Excell. bekannt sind, so ersuche ich Sie,
als meinen Freund, keinen Augenblick zu versäumen mit ihm zu reden und
ihn zu bitten bey dem Entwurfe des patents auf alle Punkte zu meinem Vortheil
bedacht zu seyn. Ja mein wehrtester, gehen Sie zu den hn. Minister selbst
und sprechen Sie deswegen mit Ihm, besonders daß mir die <u>Anwarthschaft</u> auf
des verdienstvollen Director Maggrafs Stelle, als <u>Director</u> der phys: Classe
und <u>Chymicus</u> bey der Academie, mit seinem Laboratorio und <u>freyer Wohnung</u>
etc. aufs kräftigste jezt gleich versichert werde. Ich beschwere Sie mir diese
Freundschaft zu erweisen. Laßen Sie mir auch mit umgehender Post das vor-
gefallene wißen, und ob S^e Excellenz meinen Brief mit voriger Post oder vom
4ten December richtig erhalten hat, wie ich hoffe. Die <u>freye Reise</u> ist mir
beynahe nothwendig. Ich vergaß um die <u>zollfreye Passirung</u> meiner Sachen
anzuhalten; bitten Sie doch S^e Excellenz in meinem Namen, daß Er die Gnade
habe mir diese zu bewürken. Da S^e Excellenz wissen, daß wir Freunde sind
und Selbst mein wahrer und großer Gönner und ein Menschenfreund ist, den
ich nie genung verehren kann, so wird Ers gewiß nicht übel deuten, daß Sie
als ein Freund Sich für mich bemühen, und ich will diesen edlen Mann durch zu
oftes Schreiben nicht stöhren und beunruhigen. Ich dachte doch, daß es mög-

Die NEBENUMSTÄNDE, von denen Ferber spricht, bestanden
wohl darin, daß sich die Akademie der Wissenschaften gegen seine Anstellung wehrte. Der König hatte einen Bericht
über die Berufung einiger neuer Mitglieder, darunter wohl
auf Betreiben des Ministers von Heynitz auch Ferbers, an-
gefordert. Die von dem Direktor der Mathematischen Klasse,
dem bedeutenden französischen Mathematiker Lagrange, und
dem Direktor der Klasse der schönen Wissenschaften, dem
Schweizer Hans Bernhard Merian, unterschriebene Antwort
vom 6.Dezember 1777 lautete für Ferber sehr negativ. Es
heißt darin, Herr Ferber, der bereits seiner Majestät
durch den Minister von Heynitz empfohlen worden sei, stehe als Chemiker gegenwärtig im Dienste des Herzogs von
Kurland, die Akademie aber besitze schon drei gute Chemiker.
Dieser Bericht lief am 7.Dezember beim König ein und wurde noch am selben Tag beantwortet. In der vorliegenden
Abschrift des Briefs verfügt der König, daß Ferber, der
die Vokation angenommen habe, die "Chymistenstelle" bei
der Akademie bekommen solle. Eine "Pension" werde schon
da sein, wenn nicht, so finde sich bei dem Etat der Akademie noch ein Überschuß, woraus das noch Fehlende genommen werden könne.
(Die hier zitierten Schreiben befinden sich im Zentralen
Staatsarchiv, Hist.Abt.II, Merseburg. Acta des Kabinetts
Friedrich II. Die Akademie der Wissenschaften 1754-86
Rep.96.434 A.)

Die Auseinandersetzung um die Berufung Ferbers ging aber
offenbar weiter. Nicolai spielte den Vermittler zwischen
Ferber und dem Minister von Heynitz, wie aus dem Billet
von Rosenstiel hervorgeht, das sich im "Nachlaß Nicolai"
befindet. Es lautet:
"P.P.
Die Hoffnung lebt wieder auf - - weiter ist nichts.
Schreiben Sie Hn Ferber daß S.E. auch den Brief an Sie
gelesen und vom Könige die Hoffnung erhalten hätte, daß
die nähern Bedingungen bey S.Maj. hiesigen Anwesenheit
ausgemacht werden sollten.
Empfangen Sie noch meinen Dank für das zurückkommende
Buch.
Berlin den 20st.Decembr.1777
                                    Rosenstiel"

SUB QUOCUNQUE DEMUM TITULO, unter welchem Vorwand
schließlich es auch sei.

lich wäre mir wenigstens 300 rTh Zulage zu den 1200 rThn sub quocunque demum titulo zu verschaffen. Und ich habe die größte Ursache darum anzuhalten. Die Hauptsache ist aber dennoch das bestimmte und unwiederrufliche im Patente wegen der Antwahrtschaft auf H Marggrafs Stelle und Wohnung etc.

Nun machen Sie, mein wehrtester Freund, alles, was Sie können, und empfehlen Sie mich Sr Excellenz aufs beste! Ich wünsche, daß die Sache so bald als möglich beendiget werde, damit nichts davon zu früh hieher transpirire. Schreiben Sie mir doch ja mit der allerersten Post wieder. Ich bin ganz

Ihr ergebenster
Freund u. Diener

Joh. Jac. Ferber

P.S.   Daß ich zugleich als Oberbergrath angestellt werde, ist mir schon versichert. S^e Excellenz wollen ich solle ein Collegium über d. Bergwerkswißenschaften gratis lesen. Daß werde ich thun, wenn es S. Exzellenz befehlen; da es aber ein Nebenverdienst für mich werden könnte, wo wünsche ich wohl davon dispensirt zu seyn.

P.S.   Haben Sie die Recensionen erhalten?

[Auf beigelegtem Zettel] Ich habe auch Ser Excellenz gebethen mir die Canzley Sporteln etc. für das Patent zu erspahren imgleichen den Tag, von welchem sich mein Gehalt anfangen soll zu meinen Vortheil zu determiniren.

*Andreas Sigismund MARGGRAF, geb. 1709 in Berlin, gest. 1782 in Berlin, wurde pharmazeutisch unter Caspar Neumann in Berlin und Spielmann in Straßburg ausgebildet, studierte dann Medizin in Halle sowie Mineralogie und Metallurgie in Freiberg. Marggraf wurde 1735 Assistent seines Vaters, der Hofapotheker in Berlin war. 1738 berief man ihn zum Mitglied der Akademie der Wissenschaften. 1754 wurde er Vorsteher des chemischen Laboratoriums, 1760 Direktor der Physikalischen Klasse. 1754 entdeckte er die Tonerde, 1766 die Talkerde. Bei der Untersuchung des Phosphors entdeckte er den Zuckergehalt der Runkelrübe. Dadurch übte er eine nachhaltige Wirkung auf die Entwicklung der Chemie und der Industrie aus. Die Rübenzuckerherstellung gewann in Preußen allerdings erst im Zusammenhang mit der Kontinentalsperre durch Napoleon an Bedeutung.
(Lit.: Poggendorff, Bd.II, S.48/50)*

Mein liebster Freund,
Ich habe Ihren Brief vom 6ten December richtig erhalten. Zwar habe ich Ihnen schon am 7ten d.M. alles geschrieben, was ich wünsche, und wie ich
mich bey dem erhaltenen Rufe verhalten habe; es ist aber ein Vergnügen an
einen Freund zu schreiben, der Sich für unser Wohl so aufrichtig intereßi-
ret; und ihre promtitude in Beantwortung meiner Briefe, die mir so angenehm ist, macht, daß ich nicht gerne saumseelig seyn will. Ich stehe jezt
in ungeduldiger Erwartung der finalen decision der ganzen Sache, die durch
die Vermittelung des gegen mich so gütigen Ministers ohne Zweyfel zu meinen Vortheil ausfallen wird. Von Ihnen erwarte ich, meiner lezten Bitte zu
Folge, die ohngesäumte Nachricht von allem, was vorfält, und empfehle Ihnen nochmals die Erinnerung bey Sr Excell. wegen der zollfreyen passage
meiner Sachen etc.etc. Kurz alles, wovon ich in meinem Briefe am 7ten d.M.
schrieb. Wenn das gratis zu lesende Collegium wegfallen könnte, wäre
es mir lieb; weil dies einen Nebenverdienst abgeben könnte. Ich bin weder
geizig noch übermüthig; gerne mögte ich aber so viel einnehmen, daß ich
dafür gut und ohne Nahrungssorgen leben und allein für meine lieblingswißenschaften fortarbeiten könnte. Freye Reisekosten wären mir gewiß recht sehr
nöthig. Noch eins! Wenn die Sache entschieden ist und das patent ausgeferti-
get wird, so haben Sie die Güte, mein liebster Freund, wenns seyn kann, zu
verhindern, daß die annonce davon in den berliner Zeitungen nicht zu früh,
sondern so spät, als es angeht, eingerückt werde, damit ich hier Zeit behalte meine demission zu fordern, eh' Alles aus den Zeitungen bekannt wird.
Leben Sie recht wohl und bleiben Sie ewig mein Freund! Ich bin ganz

Mitau d. 18ten December 1777.   der ihrige   J.J.Ferber

47

FRIED: ANT: FRHR. V: HEINITZ

*Königl: Preuß: geheimer Staats Kriegs und
wirkl: dirigirender Minister,
Chef des Bergwerks und Hütten Departements
&c.*

D. Berger Sculp: 1787.

Seiner Excellenz

dem Hochwohlgebohrnen Herrn,

Freiherrn

von Heiniz

Königl. Preußisch. wirklich. geheimen Staats-
Finanz-Kriegs und dirigirenden Minister,

als

wahrem Kenner und Beförderer mineralogischer Wissenschaften, und als Freund

aller derer,

die Se. Excellenz

hierinn nachzuahmen suchen,

überreicht
diese Blätter,

mit der größten Ehrerbietung und mit dem wärmsten Gefühl der
Dankbarkeit für die ihm bewiesene gnädige Gesinnungen,

Seiner Excellenz

ganz gehorsamster Diener
Johann Jakob Ferber.

Mitau d. 28sten Decemb: 1777.

Mein redlicher Freund,

Ich dancke Ihnen herzlich für ihren Brief vom 20sten d.M., den ich heute
früh erhielte. So fatal es auch immer ist, daß sich Neider finden, die eine
Cabale schmieden, so ist es doch gut, auch dies zu erfahren; und ich bitte
Sie inständigst und als meinen aufrichtigen Freund, keinen Posttag vorbey-
gehen zu laßen ohne mir Nachricht von dem, was vorfällt; zu ertheilen. Sie
können sich leicht, mein theurester, meine Lage vorstellen, und wie drük-
kend die Ungewißheit des Ausganges der Sache, ja wie hinderlich an meiner
Ruhe und Geschäften sie mir seyn müße. Sie verbinden mich also aufs kräftigste, wenn sie mir recht fleißig schreiben, und wenn es auch nur 2 oder 3
Zeilen sind. So ganz gebe ich noch nicht die Hoffnung auf meine Wünsche
erfüllt zu sehen; weil der würdige Minister Sich meiner annimmt. Mögte
Er doch reussiren!

Ihren gedruckten Brief vom 6ten Nouember schickte mir H Hinz vor einigen
Tagen zu. Ich dancke Ihnen für die beygeschlossenen Traktätgen! Die verlangten Recens: oder Anzeigen für d. a. d. Bibl. werde ich gelegentlich
verfertigen; nur habe ich bey Volkelts Nachr. von d. schles. Bergwerken
und Mineral. einige Bedenklichkeit. Übrigens hat sich eine kleine Irrung bey
dem Ausschreiben der RezensionsZettel für mich; dieses mal zugetragen:

Auf d. Zettel A stehen 2 recens: als restirende angeführt, die ich Ihnen lezt
schon geschickt habe, nähml: die von Delius Bergmannswißenschaft und die
von Scopoli Crystallographie, welche leztere in den von mir übersannten
Papieren mit Fleis gleich hinter Delisles Cristallographie abgeschrieben
war; weil beyde Recens. sich aufeinander beziehen.

Auf den Zettel B von d. M. M. 1777. fällt der 2te Band der Beyträge zur
Nat. Gesch. des Mineralreichs weg; weil ich diesen auch lezt schon recens.
habe. Wenn Sie die Papiere nachsehen laßen, wird sich alles so finden. Wäre p hazard ein Blatt verlohren gegangen, darf ich nur die fehlenden Anzeigen noch ein mal abschreiben laßen.

Nun, mein liebster Freund, schreiben Sie mir fein bald wieder!

Ich bin ganz Ihr

aufrichtigst ergebener

Ferber.

50

M.Joh.Gottl. VOLKELTS Nachricht von den Schlesi-
schen Mineralien, und den Örtern, wo dieselben
gefunden werden. Breslau, 1775, 123 S. in 8.

M.Joh.Gottl. VOLKELTS gesammelte Nachrichten von
Schlesischen Bergwerken. Breslau 1775. 272 Seiten
in 8.

Joh.Ant. SCOPOLI, S.C.R.M. in monetariis et mon-
tanisticis Consiliarii etc. Crystallographia Hun-
garica. Pars.I. exhibens Crystallos indolis terrae
cum figuris rariorum. Pragae apud W.Gerle 1776 in
4to pag.139. Tab.19.

DELISLE, du Romé, Versuch einer Crystallographie.
Aus dem Französischen mit Anmerkungen und Zusät-
zen von Chr.E.Weigel. Greifswald, Rose 1777.

Beiträge zur Naturgeschichte, sonderlich des
Mineralreichs, aus ungedruckten Briefen gelehrter
Naturforscher. Zweiter Theil. 1776 in Altenburg,
bey Richter. 264 Seiten.

Familienbild Nicolai von Anna Dorothea Therkusch

Mitau d. 5ten Februar 1778

Mein liebster Freund,

Ich dancke für ihren lezten Brief, vom 10. Januar, und für die darin enthaltenen Nachrichten. Sie haben Recht, daß man alles abwarten muß. Es ist wohl nichts anders dabey zu thun. Überhaupt aber scheint mir, daß da die Sache, durch die außerordentliche Gewogenheit des M-- für mich, und durch seinen Eifer sie durchzusezen, dem Ziele schon so nahe war, die fr.. Mittel gefunden haben müssen, seinen Vorstellungen entgegen zu arbeiten; und wer weis, ob sie nicht völlig reussirt haben. Dem sey nun, wie ihm wolle, so werden Sie mich aufs höchste verpflichten, wenn Sie die Güte haben, mir Alles, was endlich den Ausgang dieser Sache betreffen wird, zu melden, so bald Sie etwas davon erfahren.

Ich habe mir alle Mühe gegeben Praenumeranten auf Bunkels Leben anzuwerben; bisher aber nur fünf erhalten, für welche ich in beygeschloßener assignation das Geld übersende. 5 Exemplare à 3 rTh 16 gr Pr. Ct betragen 18 1/3 rTh. Sollte ich bis zum Anfang des künftigen Monaths mehrere Praenumeranten erhalten, so werde ich es Ihnen melden und den Rest des Geldes einschicken. P. Beseke hat 7 praenumeranten, wie er mir sagt, und hat schon um Michael das Geld eingesannt. Pr. Tiling hat 14 praenumeranten und erzält mir, daß er es Ihnen schon gemeldet habe. Ein Wort, mein liebster Freund, im engsten Vertrauen! Erinnern Sie Tiling gelegentlich an der Einsendung des Geldes für diese 14 Exemplare, fals er Ihnen würklich schon diese Zahl geschrieben hat. Ich mag nicht weitläuftiger darüber reden; aber ich bin Ihnen, als Freund schuldig, diesen Rath zu geben. Einigen hiesigen Freunden habe ich den wohlfeilen Preis der allgem. deutsch. Bibliothek bekannt gemacht und sie sagen mir, daß sie von Ihnen 4 Exemplare dieses Werck verschrieben haben.

In diesen Tagen werde ich mit der Arbeit fertig, die Hinz zu Ostern drucken laßen will. Alsdann fange ich gleich die mir angewiesenen Recensionen an, die Sie bald haben sollen. Auch die beyden Werckgen über die schlesischen Mineral. u. Bergwerke werde ich anzeigen.

Leben Sie recht wohl und lieben Sie mich!

Ich bin aufrichtigst Ihr

ergebenster

Ferber

52

Kommentar zu Brief 11

*Der hier erwähnte Brief vom 10.Januar gab anscheinend
eine Mitteilung wieder, die Nicolai am Tage zuvor von Rosenstiel erhalten hatte. Sie lautet:
"P.P.
Es ist noch nichts in der Ferberschen Sache erfolgt, und
S.E. erwarten noch immer die Erfüllung des Königlichen
Wortes.
Schreiben Sie dieses an d H^n Prof. und bitten Sie ihn um
einige Gedult. Sie können ihm ja auch zu seiner Beruhi-
gung das, was ich die Ehre hatte von Ihnen zu vernehmen,
erzählen. Ich habe immer noch starke Hoffnung und glaube
gewiß, daß nur wichtigere Staatsangelegenheiten den kö-
nigl^{en} Befehl zum Rufe dieses vortrefflichen Mannes verzögert habe.
Ich verspreche Ihnen nochmals schleunige Nachricht von allem was hierüber vorfallen wird und bin*

d 9^n Jan 1778

*C.C.
Rosenstiel "*

fr. = Franzosen

*Johann Melchior Gottlieb BESEKE, geb. 1764 in Burg/Mag-
deburg, gest. 1802 in Mitau, war Professor der Rechtsgelehrsamkeit an der Academia Petrina. Neben juristischen
und philosophischen Studien befaßte er sich, besonders in
späterer Zeit, auch mit den Naturwissenschaften. In seinen religiösen und philosophischen Anschauungen stand er
dem radikaleren Flügel der Aufklärung nahe. Zusammen mit
seinen Kollegen Starck und Tiling bemühte er sich 1779,
den Theologen Carl Friedrich Bahrdt, der vielen Anfein-
dungen und später unter Friedrich Wilhelm II. erheblichen
Repressionen unterworfen war, nach Mitau zu holen. Die von
Bahrdt herausgegebene "Allgemeine theologische Bibliothek"
erschien seit 1775 bereits in dem Verlag von Hinz in Mitau. Beseke war, wie die Briefe zeigen, mit Ferber befreundet.
Johann Nicolaus TILING, geb. 1739 in Oberneuland b.Bremen,
gest. 1798 in Anzen (Kurland), war Theologe, bekleidete
aber in der Academia Petrina den Lehrstuhl für Beredsamkeit. Er zeichnete sich als glänzender Redner aus, war seit
1775 einige Zeit hindurch Redakteur der Mitauschen Zeitung
und betätigte sich - allerdings glücklos - als Politi-
ker. Ebenso wie Beseke und Ferber war er ein eifriger
Freimaurer und bekleidete zeitweise das Amt des Bruders
Redner.
Die Schrift, die "Hinz zu Ostern drucken lassen will",
heißt
"Neue Beyträge zur Mineralgeschichte verschiedener
Länder. 1ster Band, der zugleich Nachrichten von
einigen chymischen Fabriken enthält. Mitau 1778" .*

Mitau d. 23sten April 1778.

In langer Zeit habe ich von Ihnen, mein theurester Freund, gar keine Nachricht; deswegen zweifle ich dennoch nicht, daß Sie zuweilen an mich dencken. Unsere Aussichten verhüllten sich mit einem mal; und ich muß Ihnen gestehen, daß ich vermuthe: sie mögten sich wohl nicht mehr aufheitern. Wer weis, wozu es gut ist. Ich schrieb Ihnen zulezt d. 5ten Februar, und übersannte Ihnen eine kleine assignation über 18 1/3 rTh Pr. Ct, als den Praenumerations Betrag vor 5 Exemplare des Bunckels. Hoffentlich haben Sie den Brief und das Geld richtig erhalten. Nach der Zeit habe ich einen neuen Praenumeranten bekommen. Das Geld für sein Exempl., welches ich mir hiedurch ausbitte, schicke ich Ihnen in 3 rTh^n 16 gg. Pr. Ct in diesen Tagen durch einen reißenden h^n von Kleist, einen jungen Curländer, der bey uns studiret hat. Die Namen der Praenumeranten schließe ich jezt bey, und wiederhole meine Bitte wegen des Transports der Exemplare. Schließen Sie alle 6 in ein Paket, und schicken Sie sie gütigst von Leipzig mit zurückkehrenden Meßleuten nach Lübec, an ihren dortigen Commissionaire, der sie aufs erste Schiff nach Libau, an dh Advocaten Bienemann daselbst, absenden kann. Sie erweisen mir dadurch einen Dienst.

Mit dem oben gedachten h v. Kleist werde ich Ihnen ein paar Recensionen überschicken. Ich habe einige nicht rein schreiben laßen, um zu versuchen, ob sie so deutlich genug sind und abgedruckt werden können. Geht das an, so werde ich hinführo das hier kostbahre Abschreiben ersparen können. Jezt restire ich Ihnen nur noch 4 Recensionen (außer die, die Kleist mitbringen wird) von allen mir bisher zum recensiren angewiesenen Schriften. Ein paar derselben sind noch nicht hier im Buchladen; weil ein Theil Bücher unsers Hinz im vorigen Herbste strandeten. Cramers Metallurgie habe ich mit Fleiß verschoben, bis der lezte Theil heraus ist. Wahrscheinlich bringt die Ostermeße mehr zu thun.

Lében Sie wohl, mein liebster Freund, schreiben Sie mir doch ein mal wieder. Ich wünsche Ihnen eine gute Meße   und bin von Herzen

Ihr ergebenster

Freund und D^r-

Ferber

Dem Brief 12 liegt ein Zettel mit folgendem Text bei:
    "PRAENUMERANTEN FÜR BUNKEL
1. *Der Herr von Offenberg, Erben h der Illienschen Güther*
   in Curland.
2. *Der Herr Praepositus Baumbach, Prediger auf Durben in*
   Curland.
3. *Der Herr Ruprecht, Prediger auf Grünhoff in Curland.*
4. *Der Herr Doctor Gourbandt, Stadt-Physicus zu Libau in*
   Curland.
5. *Der Herr Laurentz, aus Libau in Curland, Königl.Pol-*
   nischer Commercien-Rath.
6. *Der Herr Kaufmann Glandorff zu Mitau.*

    An dh Advocaten Bienemann in Libau"

Es handelt sich wahrscheinlich um Heinrich Christian von
OFFENBERG (geb. 1696, gest. 1781), der von 1763 bis 1767
Landhofmeister war und 1778 auf seinem Gut Illien lebte.

Johann Christoph BAUMBACH, geb. 1742 in Mitau, gest. 1801
in Mitau, war damals Pastor in Durben und Probst der Diö-
zese Grobin. Er predigte und publizierte in deutscher und
lettischer Sprache und gründete Wittwen- und Waisenkassen
in Grobin und Libau.
(DbBL S.34)

Gotthard Wilhelm GOURBANDT, geb. 1736 auf Gut Neuhof, gest.
1818 in Libau, studierte Medizin in Berlin und Jena und
praktizierte dann als Arzt in Riga und seit 1767 in Libau,
wo er Stadt-Physikus und kgl.polnischer Hofrat wurde. Eine
Tochter von ihm heiratete 1788 den Libauer Buchhändler und
Verleger Johann Daniel Friedrich.

Der kgl.polnische Kommerzienrat LAURENTZ gehörte einer
weitverzweigten Libauer Kaufmannsfamilie an.

Johann Christoph RUPRECHT, geb. 1728 in Grünhof, gest.
1792 in Grünhof, studierte Theologie in Jena und war seit
1754 bis zum Tode seines Vaters (1773) Adjunkt bei diesem
in Grünhof, dann aber an demselben Ort ordentlicher Pre-
diger. Sein Vater und er waren Bibliophile und besaßen
eine große Bibliothek, die in den Besitz der Academia Pe-
trina überging. Als Nachbar trat J.Chr.Ruprecht in einen
regen literarischen Meinungsaustausch mit Johann Georg
Hamann während seiner kurländischen Hauslehrerzeit (1754-
1756). Noch 1774 nennt ihn Hamann seinen "alten und wür-
digen Freund".

Mitau d 21 Junius 1778.

Zu rechter Zeit erhielte ich, mein wehrtester Freund, ihr Schreiben vom
5ten May. Auch ist das über Lübec an dh Advocat Bienemann in Libau
gesandte paquet wohl angekommen; es enthielte aber nicht sechs, sondern
nur fünf Exemplare von Bunkel. Ich erwarte also das fehlende für den sech-
sten Praenumeranten mit erster Schiffsgelegenheit, oder noch beßer mit
H Hinz Bücher, und hoffe das Ihnen dh v. Kleist das Geld dafür abgeliefert
hat. Er nahm auch ein paar Recensionen, und Briefe an die Herren Sulzer,
Bernoulli, Gerhard etc., mit, die alle d. 2^n Maj geschrieben waren. Ich
wünschte durch Sie zu erfahren, ob diese Briefe abgegeben worden. Ich
wünsche bald zu vernehmen, daß Sie gesund und mit der lezten Meße zufrieden sind.

Leben Sie indeßen recht wohl und vergnügt!   Ferber.

Kommentar zu Brief 13

*Johann BERNOULLI, geb. 1744 in Basel, gest. 1807 in Köpe-
nick, war der Sohn des gleichnamigen berühmten Mathematikers. "Friedrich d.Gr. machte 1764 den Jüngling zum Mitglied seiner Akademie und 1767 zum Direktor des Observa-
toriums in Berlin. Von dem mathematischen Genie der älteren Generation ist bei ihm freilich nicht mehr viel zu
verspüren; aber er besaß Unternehmungsgeist, vielseitige
Interessen und eine unermüdliche Arbeitskraft, womit er
sich auf verschiedenen Gebieten Verdienste erwarb."
(Otto Spiess in NDB, Bd.2, S.131)*

*Johann Georg SULZER, geb. 1720 in Winterthur, gest. 1779
in Berlin, ging 1742 nach Berlin, wo er mit Euler und
Maupertuis in Verbindung trat. 1747 wurde er Professor
für Mathematik am Joachimsthaler Gymnasium und 1763 Professor an der Ritterakademie und Mitglied der Akademie
der Wissenschaften. Bedeutung erlangte er durch seine
ästhetischen Schriften, aber auch als Reformator einiger
wichtiger Anstalten des preußischen Schulwesens. Auf Vorschlag des kurländischen leitenden Ministers Friedrich
Wilhelm von Raison wurde Sulzer nach einem fehlgeschlage-
nen Versuch mit Basedow beauftragt, einen Plan für das
akademische Gymnasium in Mitau zu entwerfen. Dieser Entwurf wurde 1773 für die zum Landtag versammelten Deputier-
ten gedruckt und erschien 1774 in zweiter Auflage im Verlag von Hinz (vgl. hierzu auch Brief 5). Dieser Entwurf
war auch Grundlage für die Fundamentationsurkunde der
Academia Petrina vom 8.Juni 1775.*

Peter *BIENEMANN*, geb. 1749 in Libau als Sohn eines dort
ansässigen Kaufmannes, gest. 1820 in Mitau, studierte in
Leipzig die Rechte, war dann Landgerichtsadvokat und Un-
tergerichtsadvokat in Libau, seit 1781 Hofgerichtsadvokat
in Mitau. Er wurde 1794 als Bienemann von Bienenstamm geadelt, erhielt 1797 das piltensche und 1799 das kurländische Indigenat. 1801-1811 war er Bauskescher Kreismarschall.
(vgl. auch Brief 1)

Es handelt sich wahrscheinlich um Friedrich Christoph
von *KLEIST*, geb. 1757, gest. 1815, der später Majorats-
herr auf Legen und Apsen, Herr auf Talsen und Kreismarschall war.
Er übergab am 11. Juni 1778 folgendes Empfehlungsschreiben
an Nicolai:

$$\text{"Mitau d.2}^{n}\text{Maj 1778}$$

Mein letzter Brief an Sie,mein wehrtester Freund,war vom
23st.April, auf welchen ich mich berufe. Der Herr von
Kleist, ein liebenswürdiger Jüngling, der bey uns hier
studirt hat und auf Reisen geht, wird Ihnen die lezt benannten Recensionen und 3 rTh 16 gg. rückständige Praenumerat. für Bunkel, überliefern. Laßen Sie mich doch
auch ein mal hören, daß Sie wohl leben und mir gut sind!
Ich bin unveränderlich mit wahrer Freundschaft
Ihr ergebenster
Ferber"

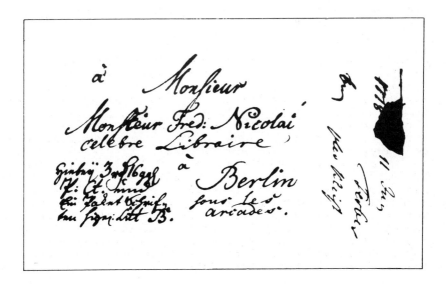

Brief 14   ab: 20.8.78   an: 31.8.78   beantw.: 28.9.78

Mitau d. 20sten August 1778.

Eine kleine, nach Lithauen unternommene mineralog. Reise hat mich bißher gehindert, ihr geehrtes Schreiben, mein liebster Freund, vom 20sten
Junius /: so war das Gedruckte datiert, welches aber viel später von Berlin abgegangen seyn muß :/ zu beantworten. Ich thue es also jezt.

Sie können Sich völlig darauf verlaßen, daß ich mit vielem Vergnügen die
mir jedesmal aufgetragene Recensionen für die allgemeine Bibliothek, ohne Zeitversäumniß oder muthwillige Nachläßigkeit besorgen werde. Meine
Neigung nach meinen geringen Kräften zu einem so nüzlichen Wercke etwas
beyzutragen, und der Wunsch einen ununterbrochenen Briefwechsel mit Ihnen zu unterhalten, sind Bürgen für die Erfüllung meines Versprechens. Sie
haben ins Künftige gar nicht nöthig mir Restzettel zu schicken. Wenn ichs
ändern kann, so sollen keine Reste von einer Meße zur andern aufgesammlet werden. Geschieht es aber, so können Sie sicher glauben, daß die Schuld
nicht an mir liegt; und alsdenn werde ich selbst meinen Restzettel schreiben, worin kein Buch vergeßen werden soll, das ich noch zu recensiren übrig hätte. Die vorzüglichste Schwierigkeit, die mir bey diesem und vielen
andern Geschäften im Wege liegt, ist die, daß ich die Bücher die ich z.B.
recensiren soll, entweder sehr spät oder auch wohl gar nicht hier erhalten
kann. Bey solchen Umständen sehen Sie leicht ein, daß wieder meinen Willen
Reste bleiben können. So hat unser Freund h Hintz noch diese Stunde nicht
alle seine Bücher von der Leipziger Ostermeße erhalten. Unter andern fehlen Arduini Saml.miner.Abhandgl. und Stengel Lapides in ord: syst. digesti,
zwey Bücher, deren Recension Sie mir übertragen haben, und die ich selbst
zu sehen begierig bin. Von der vorjährigen Michaelismeße fehlt mir noch der
3te Band der böhmisch:gesellschaft.Abhandl., den ich bloß aus dieser Ursache noch nicht habe recensiren können. Sehen Sie, so gehts mir hier bey
allen meinen litterarischen Bemühungen. Urtheilen Sie denn selbst, wie unangenehm es mir seyn muß! Herr Hinz hat Freundschaft genug für mich, alle
Bücher, die er hat, mir zum Durchsehen mitzutheilen; ich weiß aber nicht
ganz, woran es liegt, daß sie so spät und so unordentlich ankommen, vermuthlich an seine Commissionairs. Wäre es möglich, daß Sie wegen der Bücher, die ich jedesmal recensir. soll, irgend eine Veranstaltung, wodurch
ich sie früher und gewiß erhielte, treffen könnte, so wäre es mir herzlich
lieb.

Wolfs mischung der Mineral. und Grossen Phosphore, scentia etc. werde
ich behalten, und ersuche, sie auf meine Rechnung zu schreiben.

Daß h v. Kleist die Recens. und das Geld für das 6ste Exemplar des Bunkels
richtig abgegeben hat, ist mir lieb. Nur muß ich Sie bitten, mein wehrtester
Freund, daß Sie mir das sechste Exemplar bald schicken, damit ich meinen
praenumeranten befriedigen kann. Sie schreiben mir zwar einmal, daß in

58

Sammlung einiger mineralogisch-chymisch-metallurgisch und oryktographischer Abhandlungen des Hrn Johann ARDUINO, und einiger Freunde desselben. Aus dem Italiänischen übersetzt durch A.C.v.P.C.S.W.C.R. Dresden, bey Walter. 1787 gr.8vo 362 Seiten mit 2 Kupfertafeln.

Lapides in ordinem systematicum digesti, d.i. systematische Aufstellung der Steine, unter dem Vorsitz des Hrn. Johann Schwab, Professor der Philosophie, vertheidiget von Johann Nik. STENGEL, Heidelberg, 1777 in 8 bey Wiehen, 86 Seiten außer der Vorrede und einigen philosoph.Streitsätzen.

ABHANDLUNGEN einer Privatgesellschaft in Böhmen, zur Aufnahme der Mathematik, der vaterländischen Geschichte und der Naturgeschichte. /Hrsg. Ignaz Edler von Born/, Bd.1-6, Prag, Gerle 1775-1784.

Versuche über die innere Mischung einiger Mineralien: um zu bestimmen, in wiefern durch die Kochsalz- und Vitriolsäure metallische und andere Substanzen vererzet werden können; von Peter WOLFEN. Aus dem Englischen übersetzt. Mit Anmerkungen. Leipzig. 1778, 31 Seiten in gr.8.

Johann BERNOULLI hat im 3.Band (S.228-255) seiner "Reisen durch Brandenburg, Pommern, Preußen, Curland, Rußland und Pohlen, in den Jahren 1777 und 1778" (Leipzig, Fritsch, 1779) diesen Besuch in Mitau ausführlich beschrieben. Einige Auszüge seien hier mitgeteilt:

"Endlich gelangte ich zu dem Postmeister und herzoglichen Amtsverwalter /in Doblen/, Herrn Ebeling, einem artigen Manne, aus Sachsen gebürtig, der mir den gedachten Brief einhändigte, und dieser enthielt eine sehr ausdrückliche Einladung von dem Herrn Professor Ferber, bey ihm in Mitau abzutreten; wie angenehm mir diese Freundschaftsbezeugung von einem so berühmten und gelehrten Manne war, kann man sich leicht vorstellen...
Gegen 11 Uhr kamen wir /in Mitau/ an, stiegen in der schönen rigaischen Herberge ab, und ich eilte, mich in die Arme eines neuen Freundes zu werfen, an welchem ich sehr bald den vortreflichen Charakter eben so sehr, als dessen große Verdienste um die Naturgeschichte unseres Erdbodens, zu schätzen Ursache hatte.
Nachmittags besah ich mit Herrn Ferber das Gebäude des vor wenig Jahren angelegten fürstlichen Gymnasium, einer Anstalt, die das Mittel zwischen einer Universität und einem Gymnasium hält, und dem Stifter, dem regierenden Herzoge, um so mehr zum Ruhme gereicht, als bisher für die

dem nach Libau gesanntem Pakete 6 Exempl. des Bunkels befindlich seyn sollten; es ist aber die Wahrheit, daß nur 5 Exempl. darin vorgefunden worden.

Die Zeichen Er und Ir, womit ich bißher meine Recens. unterzeichnet habe, werde ich ferner behalten. Ich wünschte aber aus gewißen ursachen, daß Sie mir noch zwey andre Unterschriften oder Zeichen bestimmen wollten, so daß ich in allem viere hätte.

Sobald der Leipziger MeßCatalogus von der künftigen Michaelismeße gedruckt ist, bitte ich mir denselben auf der Post, auf meine Kosten, zuzusenden.

Laßen Sie mir doch gütigst wißen, ob ein mineralog: Werck von meiner Arbeit, welches H Hinz in Verlag genommen und bey h Breitkopf in Leipzig gedruckt seyn soll, zu Ostern fertig gewesen, oder auch nur jezt fertig ist? und warum es nicht bisher schon ausgetheilt worden? Ich merke wohl, daß es etwas saumseelig damit hergegangen seyn muß; weil h Hinz selbst dieses Jahr nicht nach Leipzig kam. Indeßen ist dieser Verzug in vieler Betrachtung mir unangenehm, unter andern auch darum; weil ich veranstaltet habe, daß verschiedenen meinen Freunden und Gönnern durch dh Breitkopf Exemplare davon zugeschickt werden sollten, welches denn noch nicht geschehen ist. Wenn Sie Gelegenheit haben dh v. Heinitz zu sprechen, so entschuldigen Sie doch mich dieses Aufschubs wegen, woran ich nicht Theil habe.

Der Prof. Bernoulli aus Berlin hielte sich bey seiner Durchreise nach Petersburg einige Tage hier bey mir auf. Das waren recht angenehme Tage für mich. Ich hoffe er wird mich auf der Rückreise wieder besuchen. Leben Sie wohl und behalten Sie mich lieb!

J. J. Ferber.

Aufnahme der Wissenschaften und die Unterrichtung junger
Leute in Curland, wenig war gesorgt worden, und der Herzog sich bey der Errichtung dieser hohen Schule meist in
allen Stücken des Rathes eines einsichtsvollen Mannes,
des sel. Sulzers, bedienet hat, von dessen Hand sogar die
mehresten hier lehrenden Professoren ohne Widerrede angenommen wurden. Es versteht sich demnach von selbst, daß
es lauter Gelehrte von wahren Verdiensten sind, und die
einen bewährten Nutzen zu stiften vermögen; selbst diese-
nigen unter ihnen nicht ausgenommen, welche noch wenig
bekannt, oder in sehr jungen Jahren sind.
...
Das akademische Gebäude hat lauter gewölbte Zimmer; zwey
Auditoria, einen schönen großen Conferenzsaal mit dem
Portrait des vortreflichen Stifters, und einem Büchersaal, in welchem allein die zierlich gearbeiteten hölzer-
nen Bücherschäfte 400 Dukaten gekostet haben. Mit vielen
zum Theil kostbaren Büchern waren sie auch schon besetzt.
...
Von da führte mich Herr Ferber zu dem Buchhändler Herrn
Hinz, der mir viel Sehenswerthes zeigen konnte, indem
seine Wohnung mit den Zimmern und dem Büchersaale der
Freymäurergesellschaft verbunden ist. In jenen sah ich
verschiedene gemalte Portraite von Gelehrten, unter andern
der Karschin; ingleichen viele von Bause gestochene Bild-
nisse.
In dem kleinen Vorsaal zu der Bibliothek ist eine schon
ziemliche Anlage zu einem Naturalienkabinet vorhanden,
aus welchem ich aber nur noch ein in der Waldau gefunde-
nes Stück gediegenes Gold anführen kann.
Der Büchersaal ist sehr niedlich ausgeziert, und die Bücher stehen in Nischen, wie in der Paulinerbibliothek zu
Leipzig; man sagte mir von etwa 16 000 Bänden, die hier
befindlich seyn; die ersten 1500 wurden von einem Major
Fink von Finkenstein geschenkt, dessen marmornes schön
gearbeitetes Brustbild am Ende des Saales aufgestellt
worden; dieses ist von Peterson, einem sehr guten Künstler von Braunschweig, verfertiget, der daselbst Hofbild-
hauer gewesen, und bey Herrn Hinz gestorben ist. Auch
sehr schöne Gypsabgüsse sah ich hier, die ein ehemals bey
der Akademie der Künste zu Petersburg gestandener Bildhauer, Namens Poussin, verfertiget hat...
Nach dem Abendessen fuhr ich mit Herrn Ferber und dessen
Gattin auf einen masquirten Ball en piquenique; ich freu-
te mich, bey dieser Gelegenheit einen guten Theil des
mitauschen Beaumonde beysammen zu sehen, und mir einen
Begriff von dessen Betragen u.d.gl. machen zu können,
wurde aber in meiner Erwartung betrogen, weil sich, vermuthlich wegen der Jahrszeit, nur wenige Personen einfan-
den, so daß kaum ein Paar Menuets getanzt wurden.

Mitau d. 27sten Septemb.1778.

Ich schreibe Ihnen, mein wehrtester Freund, diese Zeilen unter der enveloppe unsers Freundes h Hinz, um Ihnen zu melden, daß ich nun auch die
arduinischen Abhandl. habe; aber Stengels Dispositio lapidum könnten Sie
allenfalls beypacken, wenn Sie an h Hinz etwas zu senden haben. Es wird
wohl eine kleine piéce seyn, die ich alsdenn allenfalls selbst behalten würde. Die recension der arduinischen Abh. wird eine bloße Anzeige des Innhalts werden; weil verschiedene übersezte Briefe von meiner Hand darin
befindlich sind, und ich nicht gerne die Kästnerische Satyre: "erst leg' ich
meine Eyer, dann recensir' ich sie", verdienen mögte. - Mein Buch, welches h Breitkopf in Leipzig druckt und zur Ostermeße fertig seyn sollte,
wird nun wohl endlich zur Michaelismeße erscheinen. Da Sie izt wahrscheinlich in Leipzig sind, ersuche ich Sie die Güte zu haben einige Exemplare,
die ich einigen berlinischen Gönnern und Freunden schenken will, von
h Breitkopf abzufordern, und diesen Herren, so bald es angeht, zustellen
zu laßen. Herr Hinz schreibt selbst an h Breitkopf deswegen. Erinnern Sie
ihn die andern Exemplare, die nach andern Orten hin sollen, durch Meßge-
legenheiten ebenfalls zu besorgen. Ich will das Verzeichniß von allen Exemplaren hier beyschließen. NB Das an d. Minister von Heiniz und an den geheimen Rath Stengel in Mannheim wird H Breitkopf binden laßen. Leben Sie
wohl!

                              Ferber.

The City of LEIPZIG.   Le Ville de LEIPZIG.

Den 13 Julius machte ich des Morgens einen Spatziergang
um die Stadt auf dem verfallenen Walle; ob ich schon nicht
den ganzen Umkreis machte, konnte ich doch wahrscheinlicher
Weise schließen, daß er eine kleine Stunde betragen mag.
Diese Promenade ist sowohl wegen der schönen Ebene außer-
halb, als der mannichfaltigen Gärten, die innerhalb an den
Wall stoßen, angenehm; unter diesen bemerkte ich einen
ziemlich großen, der artig und im englischen Geschmack angelegt ist, und einem Doktor -- gehört.
Zu Mittage speisete ich in großer Gesellschaft bey dem
Landmarschall und Ritter des St.Annenordens, Baron von Medem, einem sehr leutseligen und würdigen Mann. Er ist einer von den 4 Ministern, welchen allein der Titel Excellenz hier zukommt...
Nach Tische gieng ich mit Herrn Ferber zu dem oberwähnten
Professor der Weltweisheit Herrn D.Starke; ich verwunderte
mich, nach seinen schon verwalteten hohen Aemtern, gethan-
nen Reisen, und gehabten Schicksalen noch einen jungen
Mann an ihm zu sehen, der vielleicht noch keine 40 Jahre
zählet. Nebst seiner bekannten Gelehrsamkeit besitzt er
viel Geschmack und Talente für die schönen Künste, worinn
er aber von seiner Gattin, einer Tochter des Hofprediger
Schulze in Königsberg, noch übertroffen wird...
Nachmittag aber sahe ich eine schöne Gemäldesammlung bey
dem Hofgerichtsadvokaten, Herrn Tetsch; vornehmlich wohl
über 60 Thier und Fruchtstücke von Beck aus Erfurt, welche
dieser große Künstler seinem geliebten Schüler Baumann,
der nahe bey Mitau wohnt, um ein Billiges überlassen hat,
dieser aber aus Mangel des Raums bey Herrn Tetsch hat auf-
hängen lassen; es ist eine solche Wahrheit in diesen Stük-
ken, daß nichts darüber geht. Der Hofgerichtsadvokat zeigte mir auch einige ihm selbst gehörende Gemälde von demselben Maler, wo menschliche Figuren vorkommen, unter welchen aber diejenigen, die von dessen eigener Erfindung sind,
mit den obgedachten Stücken nicht können in Vergleichung
kommen. Hingegen hat er drey Kopien nach Stücken vom Rembrandt in dem winklerischen Kabinet zu Leipzig: zween Köpfe und ein Nachtstück, die unnachahmlich schön sind; obschon Herr Beck in etwas von Rembrands Manier abgewichen,
und man besonders die zween Köpfe eher für Vandycks Arbeit
halten würde. Herr Tetsch hat auch eine gute von dem gedachten Baumann nach Wovermann gemalte Kopie; ferner einige Gemälde von Gottlob; zwo schöne mit der Feder gemachte
Zeichnungen von Lüstenau in Danzig; eine artige Sammlung
Gipsabgüsse; ein Paar Trumeauxtischblätter von einem einzigen großen in der Windau gefundenen schönen Kiesel; und
andere Merkwürdigkeiten mehr. Herr Tetsch hat auch einen
Garten vor wenig Jahren angelegt, in welchem Herr Professor Ferber die Samen, welche er aus fremden Ländern emp-
fängt, zu säen pflegt."

Mitau d. 20. Decemb. 1778.

Einen Brief, den ich am 12ten Nouember unter adresse eines jungen Cur-
länders, der damals in Berlin war, an Ihnen schrieb, habe ich zurückbekommen; weil der junge Mann früher, als man hier dachte, abgereist war.
Ich muß Ihnen also jezt verschiedenes wiederhohlen, was ich schon damals
geschrieben hatte. Das Paket, worin der MeßCatalogus, Arduini Samml.
und Stengel de lapidibus enthalten waren, kam d 8ten Novemb. hier an. Dabey war ihr gedrucktes Schreiben vom 28sten Herbstmonaths befindlich.
Nachher hat mir h Hinz ihr gedrucktes Schreiben vom 10ten Wintermonaths
überliefert. Auf beide werde ich jezt antworten. Die Einlagen an h Hupel
u h Ahlbaum in Liefl: sind sogleich mit der Post befördert. - Die 3 Zeichen
Ob. Xz und Yz, die Sie mir gegeben, werde ich, so wie die vorherigen Ir u
Er. behalten und gebrauchen. - Den 3ten Theil der böhm: Abh. zum recensiren und das fehlende Exemplar von Bunkel erwarte ich mit Verlangen.
Diese Bücher sind bis izt eben so wenig, als die Sie mir von der M.M. mit
dh Hinz Sachen zum Recensiren geschickt haben, angekommen. Sie sehen
also M. 1. F. daß ich nichts davor kann, wenn Sie die Recensionen spät erhalten werden. Hr. Hinz hat bisher sehr wenige Bücher von der lezten Meße erhalten, und da wir in ein paar Tagen schon Weinachten erleben, so
frägt es sich, ob die Bücher vor künftiges Frühjahr ankommen werden oder
nicht, worüber hr. Hinz selbst mir nichts bestimmtes zu sagen weiß. Die
andern Recensionen von der O. M. sind schon längst fertig; aber mit der
Post habe ich sie nicht senden wollen; weil es Ihnen zu viel gekostet haben
würde, und andre Gelegenheit hat sich bisher nicht gefunden. Wollten Sie es
genehmigen, daß ich hinführo alle von mir zu verfaßende Recensionen hier
für Geld compress rein abschreiben ließe (NB jede auf ein so kleines Blatt
postpapier als es angeht) so würde es jede Meße nur wenige Loth ausmachen, die ich Ihnen alsdenn auf der Post zusenden könnte, und es würde Ihnen eben nicht viel kosten. Dies ist der einzige Weg, den ich weiß, Ihnen
meine Recensionen geschwinde zuzustellen. Was nun das Erhalten der Bücher betrifft, die ich recensiren soll, so will ich Ihnen für die Zukunft ebenfals einen Vorschlag thun, der gewiß der beste ist. Die Erfahrung lehrt
schon, daß unser lieber Freund h Hinz seine Bücher jedesmal sehr spät erhält, wovon ich die Uhrsachen nicht einsehe. Wir gewinnen also nichts, sondern verlieren an Zeit, wenn Sie mir durch ihn die Sachen schicken, für deren transport Sie ihm ohne Zweifel doch auch werden bezalen müßen. Schik-
ken Sie also die Bücher von jeder Meße an ihren Commissionaire in Lübec,
und durch ihn mit erster Waßergelegenheit nach Libau, unter meiner addresse, an h Advocat Bienemann in Libau. Dieser Freund wird alsdenn das

*Franz Ulrich ALBAUM, geb. 1742 in Hamburg, gest. 1806,
studierte in Helmstedt und kam 1766 als Hauslehrer nach
Estland, wo er Professor für Rechtswissenschaft und Geschichte an der Ritter- und Domschule in Reval und später
Advokat und Sekretär des Kameralhofs wurde. Er übersetzte
aus dem Französischen die "Allgemeine Einleitung in die
Kenntnis der Politik, der Finanz- und Handlungswissen-
schaft" des kgl.Preußischen Geheimen Rats und Mitglieds
der Akademie der Wissenschaften Ludwig von Beausobre und
versah das dreibändige Werk mit Anmerkungen. Seit 1773
war er Mitglied der Freien Ökonomischen Gesellschaft in
St.Petersburg. Durch Hartknoch empfohlen, war Albaum auch
als Rezensent an der Allgemeinen deutschen Bibliothek tätig.
(Lit.: DbBL, S.8)*

*August Wilhelm HUPEL, geb. 1737 in Buttelstädt (Thür.),
gest. 1819 in Weißenstein (Estland), war Pastor, entfal-
tete aber daneben eine ausgedehnte publizistische Tätigkeit in deutscher, aber auch in estnischer Sprache, die
er vollkommen erlernte. Von 1781 bis 1791 gab er die "Nor-
dischen Miscellaneen" im Verlag von Hartknoch heraus, die
er als "Neue Nordische Miscellaneen" bis 1798 weiterführ-
te. Sowohl durch seine Mitarbeit an der "Russischen Bibliothek" von H.L.Chr. Bacmeister (1772 bis 1787), die auch
bei Hartknoch erschien, als auch an der "Allgemeinen deutschen Bibliothek" Friedrich Nicolais wurde er zu einem
der wichtigsten Kulturvermittler zwischen dem Russischen
Reich und dem deutschsprachigen Raum. Man kann Hupel als
einen der bedeutendsten Vertreter der Aufklärung in Liv-,
Est- und Kurland betrachten.
(Lit.: DbBL, S.349)*

*Johann Jakob KANTER, geb. 1738 in Königsberg (Pr.), gest.
1786 in Königsberg, gründete 1760 eine Buchhandlung und
1763 eine Zeitung, die "Königsbergschen gelehrten und politischen Zeitungen" in seiner Heimatstadt. 1763 gründete
er ferner eine Filiale seiner Buchhandlung in Mitau, deren
Leitung sein Gehilfe Johann Friedrich Hartknoch übernahm,
und aus der die berühmte Hartknochsche Buch- und Verlags-
handlung in Riga hervorging. Seine engen persönlichen und
wirtschaftlichen Beziehungen zu Kurland hatten sich 1778
jedoch bereits gelockert.
(Lit.: AB, S.324)*

Paquet mit dem ersten Fuhrmann für so billige Fracht, als möglich, mir zusenden. Von den Büchern werde ich alsdenn die, die ich brauche, auf Rechnung behalten, und Ihnen die übrigen, wenn sie recensirt sind, entweder durch Reisende oder wenn sich solche nicht finden, zu Waßer an ihren Commissionaire in Lübec zurück senden. Wenn Sie, mein liebst. Fr:, die hiebey vorfallenden nothwendigen Unkosten, die aber doch wohl sich nicht sehr hoch belaufen können, nicht scheuen, so wird die Sache in der Art gut gehen. Sie müßen mich aber jedesmal mit der Post von dem Abgang des Pakets benachrichtigen, und das Verzeichniß der zur Recension übersannten Bücher nicht in dem Pakete sondern in ihrem Briefe einschließen. Wenn Sie gleich aus Leipzig jede Meße das Paket nach Lübec senden könnten, so würde nicht nur der Transport bis dahin Ihnen wenig oder nichts kosten, sondern ich erhielte sie auch früher, als wenn das Absenden erst nachher aus Berlin geschähe.

Es gienge auch an das Paket zu Lande über Königsberg /: aber nicht über Danzig:/ bis hieher zu senden; denn von Königsberg geht alle Woche ein Fuhrmann hier durch nach Riga, und so wieder zurück. Nur müsten Sie alsdenn in Königsberg einen zuverläßigen Commissionaire haben, der die Fracht NB den Polanger Zoll mit dem Fuhrmann aufs billigste accordirte und an ihn bezahlte. Herr Kanter versteht das sehr gut; ich weiß nicht, ob Sie mit ihm in connexion sind. Über alles dies erwarte ich ihre Entschließung und ausführliche instruction. Wären wir einander näher, so brauchten wir alle diese Weitläuftigkeiten nicht.

Für die gehabte Bemühung bey der Austheilung der Exemplare meines lezten Buchs an einige Freunde und Gönner in Berlin danke ich Ihnen ergebenst. Nehmen Sie nicht übel M. l. F. daß ich Ihnen mit der Einlage bemühe.

Schließlich wünsche ich Ihnen vergnügte Feyertage und viel Glück zum neuen Jahre! Behalten Sie mich lieb und glauben Sie, daß ich mit wahrer Hochachtung und Freundschaft bin

der ihrige

Ferber.

P. S. Kommt etwas Neues in meinem Fache zwischen den Meßen heraus, so melden Sie mir es doch gelegentlich!!

An die sämtlichen Herren Verfasser der allgemeinen deutschen Bibliothek.

In meinem gedruckten Schreiben vom 4ten Wintermonats 1780. versprach ich, daß zu der jetzt bevorstehenden Ostermesse die A. d. Bibliothek bis zu des XLVten Bandes ersten Stücke herauskommen sollte. Des XLIVten Bandes 2tes Stück ist nun fertig und wird denjenigen die es gewöhnlich von Berlin erhalten, anbey übersendet. Des XLVten Bandes 1tes Stück ist gleichfalls bis auf wenige Bogen fertig und wird noch kurz vor der Messe auch abgesendet werden.

Zur Michaelmesse d. J. sollen des XVten Bandes 2tes Stück, nebst dem XLVIten und XLVIIten Band gedruckt werden. Aber es ist jetzt noch so wenig Manuscript vorhanden, daß schon des XLVten Bandes 1tes Stück an vierzehn Tage später fertig werden müssen, weil von einigen Fächern gar kein Vorrath da war.

Es sind überhaupt noch sehr viel Recensionen rückständig. Es fehlen sogar noch einige von den Jahre 1778, welches Jahr doch, dem ersten Plan zufolge, noch in den Anhang zum XXVten bis XXXVIten Bande, hätten kommen sollen. Vom Jahre 1779 fehlen noch sehr viele Bücher, und vom Jahre 1780 fehlen wohl drey Viertel der Recensionen, die jetzt billig schon fertig, und in meinen Händen hätten seyn sollen. Wären diese Recensionen schon sämmtlich in meinen Händen, so würde ich zum beschleunigten Druck ganz andere Anstalten machen können. Aber jetzt werde ich in Veranstaltung des Abdrucks auf alle Art zurückgehalten. Ich habe nur einen geringen Vorrath von Manuscript. Diesen muß ich noch dazu in zwey Druckereyen theilen. In verschiedenen Fächern ist wenig, ist fast gar nichts. Gleichwohl sollen in jedem Stücke, aus jedem Fache der Wissenschaften einige Recensionen vorhanden seyn. Indessen daß man auf diese wartet, wird der Abdruck aufgehalten, und ich kann in den Buchdruckereyen den schleunigen Fortgang der Stücke nicht befördern, denn ich muß besürchten, daß mitten in Einem Stücke aus Mangel des Manuscripts müßte innegehalten werden. Wenn ich hingegen Vorrath habe, so kann ich ganz andere Anstalten machen, und gewiß bewerkstelligen, daß die nöthige Anzahl von Stücken zu gehöriger Zeit fertig werde.

Ich bitte daher die sämmtlichen Herren Mitarbeiter gehorsamst:

die restirenden Recensionen so schleunig als möglich einzusenden.

Ich wünschte, daß diese Bitte, besonders jetzt sehr bald möchte erhört werden. Ich werde von der Leipziger Ostermesse aus, eine Reise vornehmen, weshalb ich einige Monate werde abwesend seyn müssen. Unter mehrern Sorgen liegt mir besonders am Herzen, daß die A. d. Bibliothek in meiner Abwesenheit, in eben der Ordnung und wie bisher ununterbrochenen Fortgang habe. Hiezu ist aber hauptsächlich nothwendig, daß es niemals an Manuscript fehle. Es würde mich in unbeschreibliche Verlegenheit setzen, wenn ich in meiner Abwesenheit hören müßte, daß aus Mangel des Manuscripts, der Abdruck ins Stecken geriethe.

Wenn es den Herren Verfassern nur gefällig ist, an Ihrer Seite für die baldige Einsendung der Recensionen zu sorgen, so sind, auf meiner Seite, alle Maasregeln genommen, daß in meiner Abwesenheit die Bibliothek ordentlichen Fortgang habe. Auf meine Bitte hat mein würdiger Freund, Herr F. G. Lüdke, Prediger an der Nicolaikirche in Berlin, die ganze Besorgung der Sammlung des Manuscripts und der Herausgabe der A. d. Bibliothek übernommen. Ich bitte daher die sämmtlichen Herren Mitarbeiter, in allen Sachen welche die Recensionen selbst betreffen, (z. B. die Austheilung derselben, auch wenn neue verbeten werden, wenn früherer Abdruck nöthig ist u. s. w.) an gedachten Hrn. Prediger Lüdke, (aber NB. allemahl unter Couvert meiner Handlung und in einem besondern Brief oder offenen Zettel,) zu schreiben. Hingegen, über alles was die Bücher betrifft, welcher zur Recension oder sonst verlangt, oder auch zurückgesendet werden, desgleichen was die Rechnungen und andere Handlungssachen betrifft, bitte ich an meine Handlung (NB. auch auf einen besondern Zettel) zu schreiben. Es wird alles, was diese Dinge betrifft, von meinen Handlungsbedienten aufs richtigste besorgt werden. Ich bitte aber gehorsamst, diese zweyerley Arten von Korrespondenz nicht mit einander zu vermengen, weil sonst in der Expedition Unordnungen entstehen müßten. Da der Herr Prediger Lüdke nicht in meinem Hause, sondern ziemlich entfernt von mir wohnet, so kann an ihn nichts addressirt werden, als was die Recensionen betrifft, die er zu besorgen versprochen hat, und besorgen kann. Die übrigen Sachen können irgends anders als in meiner Handlung besorgt werden. Die jetzt gemeldete Einrichtung bleibt übrigens so lange, bis ich selbst wieder zu schreiben die Ehre haben werde.

Zu mehrerer Ordnung sende ich diesmahl auch der Messe, anbey die gewöhnliche jährliche Berechnung von des 11ten Anhangs 6ten Bande und vom XIten bis XLIVten Bande. Ich habe, wie schon in meinem Schreiben vom 4ten Wintermonaths gemeldet, alle noch nicht zurückgesendete Bücher bis 1779 incl. in Rechnung gebracht. Sollten indessen einige derselben noch zurückzusenden nöthig seyn, oder sonst desfalls einige Differenzien obwalten, so wird der Betrag allemahl, nach erhaltener Nachricht, auf neue Rechnung gutgeschrieben werden. Die Bezahlung der jetzigen Rechnungen wenn sie nicht anbey kommt, wird in der Leipziger Ostermesse, durch den gewöhnlichen und anbey am Rande notirten Weg, besorgt werden.

Ich empfehle mich, meine Herren, auch in meiner Abwesenheit, in Ihre schätzbare Gewogenheit, und hoffe, daß Sie ferner die A. d. Bibliothek, welche bloß durch Sie ist, was sie ist, in dem vorzüglichen Grade der Vollkommenheit, die ihr jeder unpartheyischer zugesteht, erhalten werden.

Berlin den 17. April 1781.

Friedrich Nicolai.

N. S. Es liegt anbey eine Nachricht von drey Werken, nemlich: 1) von des Herrn K. R. Hermes Predigten über die evangel. Texte, 2) von des Hrn. Prof. Klügel Encyklopädie, 3) von des Herrn Astronom Bode neuer Weltkarte, welche ich gegen Ostern 1781 auf Pränumeration will drucken lassen. Ich werde es als eine besondere Freundschaft erkennen, wenn die sämmtlichen Herren Mitarbeiter, diese nützliche Werke unter Ihren Freunden und durch die Zeitungen bekannt machen, und Pränumerationen sammeln wollen. Auf Verlangen können noch mehrere Exemplare der Nachrichten gesendet werden. Auch wird noch Pränumeration auf Jacobssons Technologisches Wörterbuch angenommen, wovon der 1te Band in der bevorstehenden Ostermesse erscheint, der 2te im Wintermonate d. J. und der 3te im Junius 1782 fertig werden wird.

Mitau d. 19. Januar 1779.

Sie erhalten hiebey, mein wehrtester Freund, das zu Ostern herauszugebende Ms^t zum Abdrucken, wovon Sie durch mein Leztes mit der Post be-
nachrichtiget worden, und zwar mit der <u>fahrenden</u> Post von Memel ab.
Ich wünsche guten und baldigen Empfang und bin

Ihr

ergebenster D^r

Ferber

Mitau d. 6^n Junius 1779.

Mein wehrtester Freund, Ich habe ihren gedruckten Brief vom 12ten März
d.J. zu beantworten.

Zu Ende des Jänners erhielte ich das Paket Bücher von der lezten Michaelismeße, welche Sie mir zum recensiren geschickt hatten. Den größten
Theil dieser Bücher besas ich damals schon selbst, und sannte Ihnen d
24sten Febr: durch den h Studios: Beckmann alle wider zurück, bis auf einer kleinen Abh. von den Frankenb. Versteinerungen, die Sie auf meine
Rechnung anzuschreiben belieben. Zugleich überschickte ich Ihnen durch
dh Beckmann 12 Recensionen, und ohne Zweifel haben Sie alles zu seiner
Zeit richtig erhalten. Den 3^n Band der böhm. Abh. schickte ich nicht durch
H Beckmann, sondern durch dH Hoffapot. Meyer in Stettin zurück.

Ich bin Ihnen jezt nur noch 3 Recensionen überhaupt rückständig, welche in
meinem nächsten Briefe erfolgen sollen. Unterdeßen erwarte ich von Ihnen
die Anzeige, welche Bücher von der Ostermeße Sie mir zum recensiren
auftragen, und werde alsdenn die mir mitgetheilten neuen Zeichen gebrauchen.

Das vorhin fehlende Exempl. von Bunkel erhielte ich mit den büchern von
d. M. M. Diese Sache ist also abgemacht.

Leben Sie recht wohl und erhalten Sie mir ihre schätzbahre Freundschaft
unveränderlich. Ich bin

Ihr ergebenster

Ferber.

vertatur

PS. Vor einigen Tagen erhielte ich eine kleine Schachtel aus Mannheim,
deßen guten Transport ich Ihnen zu verdanken habe. Verzeihen Sie, daß ich
mit der Einlage beschwere.

Dem Brief 17 liegt ein Zettel mit folgendem Text bei:

"Bücher, die in diesem Pakete enthalten sind und an h^{rn}
Nicolai nach Berlin zurückgesannt werden.
Arduini mineral. Abh.
Linné Natursyst. 3 Thl.
Charpentier min. Geogr.
Hampens Metallurgie
Stengel Lapides in ordin.syst.redacti."

Nicolai hat darauf vermerkt:
"1779.30.Mart. von Bäckmann erhalten.

Ferber hatte also, wie auch im folgenden Brief bestätigt
wird, diese Bücher durch einen ehemaligen Schüler an Nicolai gesandt. Es handelt sich dabei um den Theologiestu-
denten Christoph Wilhelm BÄCKMANN, geb. 1761 in Mitau als
Sohn des herzoglichen Postmeisters Diedrich Bäckmann.
1804 war er zweiter Lehrer des Witte-Hueckschen Waisen-
stiftes zu Libau.

Kommentar zu Brief 18

Des Ritters Carl von LINNÉ vollständiges Natur-
system des Mineralreichs etc., in einer freyen
und vermehrten Übersetzung von J.F. Gmelin.
Vierter Theil, mit 30 Kupfern. Nürnberg bei Raspe.
1779 in gr.8. 538 Seiten mit dem Register.

Mineralogische Geographie der chursächsischen
Lande, von J.F.Wilh. CHARPENTIER, churfürstlichen
Bergkommißionsrath u.s.w. mit Kupfern. Leipzig
1778 in 4. 432 Seiten bey Crusius.

Johann Heinrich HAMPENS, Leibarzt der Prinzessinn
von Wallis, praktisches System der Metallurgie,
mit dessen Anmerkungen und Erklärungen. Aus dem
Englischen übersetzt. Dresden, bey Walther 1778.
gr.8vo. 364 Seiten.

Die Frankenberger Versteinerungen nebst ihrem
Ursprunge, von Joh.Gottl. WALDIN, Prof. zu Marburg.
Mit Kupfern. Marburg in der Universitäts-Buchhand-
lung 1778. 4. 32 Seiten.

Johann Karl Friedrich MEYER, geb. 1733 in Stettin, gest.
1811 in Stettin, galt seinerzeit als berühmter Chemiker
und Pharmazeut.

Mitau d. 9. Septemb. 1779.

Ihren Brief vom 10ten Junius, mein wehrtester Freund, hat mir h Hartknoch zugleich mit dem Pakete der zur Recens. gesannten Bücher nicht ehr,
als am 26sten August übersannt. Ich beschäftige mich jezt mit dieser Arbeit
und werde, so bald es möglich seyn wird, damit fertig zu werden suchen,
um Ihnen die Recens. zuzustellen. Welche Bücher von den übersannten ich
a conto behalte und welche ich gelegentlich zurück sende, werde ich Ihnen
im nächsten Briefe melden. Übrigens danke ich Ihnen für die Abrechnung,
die Sie mit mir zu machen beliebt haben, und bin damit vollkommen zufrieden. Ich werde mich bemühen, Sie mit meinem Fleiße und Genauigkeit: alle
Reste von einer Meße zur andern zu vermeiden, zufrieden zu stellen. Schik-
ken Sie mir nur von der Michaelismeße wider Bücher zu, und dabey auch ihren lezten OstermeßCatalog, den ich noch nicht erhalten habe.

Wegen der bewusten Aussicht in Berlin habe ich fast alle Hoffnung verloren,
und höre auch weiter nichts davon. Ohnfehlbahr giebt es Schwierigkeiten,
die nicht zu überwinden sind, und man kann dabey nichts weiter thun, als
Geduld haben. Sollte sich etwas ereignen, so werden Sie die Freundschaft
haben es mir zu melden. Aber ich zweifle.

Mit wie vielen Schwierigkeiten ich hier bey meinen litterarischen Bemühungen zu kämpfen habe, wissen Sie schon längst aus meinen Briefen. Eine neue,
die sich jezt ereignet, veranlaßet mich bey Ihnen anzufragen, ob es Ihnen gelegen wäre den Verlag und die Ausgabe meiner künftigen mineralogischen Arbeiten über Sich zu nehmen? Das Honorarium und die Zahl der freyen Exemplare, die ich zum Verschenken an einige Freunde zu erhalten wünschte, soll
ganz allein von ihrem Gutfinden abhangen, womit ich völlig zufrieden seyn
werde. Sie wißen, daß h Hinz mein bisheriger Verleger gewesen ist, und so
wenig ich dabey gevortheilet habe, so gewiß wäre ich doch nicht von ihm abgegangen, wenn er nicht selbst vor einigen Tagen mich dazu gerathen und gesagt hätte, daß er noch nicht absehe, wie bald er im Stande seyn würde den
2ten Theil meiner Neuen Beiträge der nach unsrer Abrede künftigen Ostern
herauskommen sollte, herauszugeben. Seine Buchhändlergeschäfte wollen,
wie es scheint, nicht recht fort und er klagt sehr, daß er am verwichenen Johanni (der hiesige Zahlungstermin) seine ausstehende Forderungen nicht ein-
bekommen habe; mithin zu neuen Büchern oder ihrem Verlage kein Geld habe.
Aus dieser Ursache bin ich nun also genöthiget, so ungerne ich von Hinz, der
sonst mein Freund ist, abgehe, mich um einen andern Verleger zu bemühen.
Sie können leicht denken, mein liebster Freund, daß ich durch die Erklärung
dh Hinz in Verlegenheit gekommen bin; die Hälfte meines 2ten Theils der neu-
en Beiträge habe ich in Msct bereits fertig; es kommt nur noch aufs Durchsehen und Reinschreiben an. Mit der andern Hälfte, und also mit dem ganzen Mste, werde ich bald nach Weinachten oder in Januarii Monath völlig

fertig, und nun habe ich umsonst gearbeitet, wenn es nicht künftigen Ostern abgedruckt wird. Ich frage also bey Ihnen an, ob Sie diesen Verlag über sich nehmen wollen? Der vorzüglichste Innhalt wird Ungarn, Österreich und noch andre Länder betreffen, in eben dem Geschmacke, wie der 1ste Band, von welchem H Hinz eben nicht viele Exemplare übrig haben wird. Sollten ihre übrigen Geschäfte wider Vermuthen nicht erlauben daß Sie Sich mit dieser Herausgabe befaßen; so bitte ich Sie recht sehr die Güte zu haben, mir einen andern Verleger zu verschaffen; da es mir wegen der Entfernung und Kürze der Zeit schwer fällt, mit andern darüber weitläuftig zu correspondiren. Ich werde mit Allem zufrieden seyn, was Sie in diesem Falle zu verabreden für billig halten. Ich erwarte ihre gütige Antwort so bald, als möglich! und bin mit der vollkommensten Hochachtung und Freundschaft

Ihr

ergebenster

Ferber.

Kommentar zu Brief 19

Johann Friedrich HARTKNOCH, geb. 1740 in Goldap (Preußen), gest. 1789 in Riga, studierte in Königsberg Theologie, wurde dann aber Buchhandlungsgehilfe bei seinem Logenbruder Johann Jakob Kanter in Königsberg, dessen Filiale in Mitau er seit 1763 leitete. Hartknoch gründete 1765 seine eigene Buchhandlung in Riga, die sich in den folgenden Jahren rasch entwickelte. Er betätigte sich nicht nur erfolgreich als Verleger im ganzen deutschsprachigen Bereich, sondern war der Vermittler zwischen Gelehrten und Schriftstellern. Sein fast freundschaftliches Verhältnis zu Friedrich Nicolai war 1779 abgekühlt, so wie überhaupt vor allem in den letzten Lebensjahren die Verbindung zu alten Freunden wegen seines schwierigen Charakters manche Einbuße erlitt.

Mitau d. 28 st. October 1779.

Gestern erhielte ich Ihr Schreiben aus Leipzig vom 14ten d. M., worauf ich
jezt die Ehre haben werde zu antworten. Ich denke in Wahrheit, daß wir
eben nicht Ursache haben über den geringen Geschmack unsrer Zeitgenoßen
für Mineralogie, physische Kenntniß der Erde, der Bergwerke und andern
damit verbundenen Wißenschaften zu klagen. Man hat wohl nie so viel, als
jezt, darüber geschrieben und gelesen. Ich mögte vielmehr behaupten, daß
dieses Studium so allgemein und so zur Mode geworden ist, als man es
nach der Natur der Sache nur fordern kann. Denn freilich wäre es unüber-
legt zu verlangen, daß jedes junge Mädchen, jeder süßer Herr, der sich an
Romanen weidet, auch mineralogische Schriften lesen sollte. Es gehören
dazu besondre Kenntniße und ein eigener Beruf oder Absichten, die nicht
bey allen Lesenden stattfinden können. Ich bin also, wie Sie sehen, mit dem
Publikum, in dieser Betrachtung mehr zufrieden, als Sie, mein lieber Freund.
Was nun meine eigene mineralogische Schriften betrifft, so wäre ich wirklich undankbahr gegen die Kenner und Liebhaber der Naturgeschichte, wenn
ich nicht mit dem Beifall, den sie mir bisher gegeben haben, mich begnügen
ließe. Man hat mehr als eine derselben in verschiedene Sprachen übersezt,
und so weit meine Lecture reicht, finde ich fast in allen Schriften, die von
ähnlichen Gegenständen handeln, vielleicht gar zu ofte angeführt. Ein Beweiß, daß sie doch gelesen werden! An einer neuen Auflage meiner Briefe
aus Wälschland bin ich schon seit 2 Jahren durch dh von Born erinnert worden. Herr Hinz, der zwey Abhandl: von mir auf einmal herausgab, hat mir
damals nicht nur seine Zufriedenheit mit dem Absaz derselben /: ich ver-
sichre es Ihnen als ein ehrlicher Mann :/ zu widerholten Malen und in Ge-
genwart andrer Freunde mündlich geäußert, sondern auch dadurch in der
That an den Tag gelegt, daß Er mich zu der Herausgabe der neuen Beiträge
ermunterte, den Verlag derselben wirklich übernahm und selbst mich über-
redete, den Titel so einzurichten, wie er ist, und mehrere nachfolgende
Bände erwarten zu laßen. Ihm zu Gefallen that ich es auch, welches freilich
nicht geschehen wäre, wenn ich den jezigen Zufall hätte voraussehen können.
Er muß aber doch damals, kann ich mit Recht schließen, eben keine so
schlechte Hoffnung von dem Debit meiner Aufsäze sich gemacht haben, als
der nachher zufällig erfolgt ist, wie Sie mir melden. Auch hat Er jezo, als
Er mir vor Kurzem bekannt machte, daß er den 2ten Band auf Ostern nicht
verlegen könnte, den schlechten Debit gar nicht zur Ursache davon angegeben, sondern seinen, von ausbleibenden Geldforderungen herrührenden gänz-
lichen Mangel an Fonds zu irgend einer Unternehmung oder Verlag angeführt,
und sich willig bezeigt, die Beiträge künftig, wenn seine affairen in Ordnung
gekommen sind, fortzusezen. Daß dies wahr sey, werden Sie mir auf mein
Wort glauben. Ich glaube also nicht zu irren, wenn ich die Ursache des ge-
meldeten geringen Debits meiner Beiträge, 1 Band, in andern Umständen
suche, und die darf ich nicht weit herhohlen. 1.) Die Beiträge hätten vori-

ges Jahr zur Ostermeße herauskommen sollen; kamen aber, obschon das Mst zu rechter Zeit abgeschickt wurde, erst auf die Michaelismeße; sind also im Buchhandel nur ein Jahr alt, in welcher Zeit wohl selten ein mineralogisch Buch größtentheils abgesezt werden kann, zumal, wenn 2. s) Herr Hinz in ein paar Jahren selbst keine Meße besucht hat, mit seinen Commissionairen aber nicht sehr zufrieden zu seyn scheint und 3 s) durch das ausbleiben seiner Schuldforderungen hier im Lande, wie er sagt, mit seinen auswärtigen Freunden und Buchhändlern, nicht, wie er wünschte, hat liquidiren, handeln und tauschen können. Ich muß seinen vertrauten Erzälungen und Klagen hierüber um so mehr Glauben beymeßen; weil er mit den meisten neuen Sachen seit 1 1/2 Jahren gar nicht versehen ist, und wirklich hier in Curland viel Geld für Bücher zu fordern hat. Dies sey nun aber wie es wolle, so bin ich durch diese umstände, mit der Arbeit, die ich unter Händen habe und herauszugeben willens bin, in eine unangenehme Verlegenheit gerathen, die ich in Eil und in der Entfernung, worin ich lebe, nicht füglicher abzuwenden gewußt habe oder noch weiß, als daß ich mich Ihnen in die Arme werffe, wie ich es denn auch hiedurch thue, und es Ihnen als eine Freundschaft anrechne, daß Sie mir, so gut wie Sie es denn können, heraushelfen wollen. Allerdings ist es überaus wenig, was Sie mir für den gedruckten Bogen anbiethen, und vielleicht würden Sie mehr geboten haben, wenn Sie die wahre Ursache des geringen Abgangs meiner Beiträge eingesehen hätten. Allein ich kann es Ihnen nicht verdenken, viel weniger übel auslegen, daß Sie als Verleger den genauesten Überschlag machen. Ich gehe also alles ein, was Sie wollen, und es bleibt dabey, daß Sie den Verlag meiner leztgenannten neuen Arbeit übernehmen und auf Ostern herausgeben, es versteht sich in eben dem Formate und mit solchen Lettern gedruckt /: beßer Papier könnte nicht schaden :/ als der 1ste Band der Beiträge ist. Wollten Sie mir wenigstens einen Dukaten für den Bogen geben, so könnten die paar Groschen mehr, als ein halber Louisd'or beträgt, zum Reinschreiben des M^{sts} angewannt werden; doch das sey ganz Ihnen anheimgestellt.

Wer sich einmal von der Liebe zu seiner Wißenschaft so weit führen läst, daß er mehrere 1000 Thaler aus seinem Beutel auf 9jährigen Reisen verzehrt um Bemerkungen über die Naturgeschichte der Erde anzustellen und zu sammlen, dem muß es auch nicht auf einige Thaler oder Dukaten ankommen, wenn er die Absicht hat, seine Bemerkungen so gemeinnüzig zu machen, als ihm die gute Aufnahme der vorhergehenden hoffen läst. Ihre übrige Bedingungen, mein liebster Freund, in Absicht des ersten Theils der Beiträge von h Hinz, fallen ganz weg; weil ich aus guten Gründen mich entschloßen habe, die jezt herauszugebende Schrifft von allen meinen vorhergegangenen ganz unabhängig zu machen und einen neuen Titul zu wälen. Mit h Hinz hätte es vielleicht wegen des Abkaufs des 1sten Theils Schwierigkeiten gesezt oder wenigstens Aufschub und weitläuftiges hin- und herschreiben verursacht, welches nun durch einen andern Titul vermieden wird. Kann und will er künftig die Beiträge fortsezen, so mag er es thun, wo nicht werden sich doch leicht neue Titeln erdenken laßen. Machen Sie nun also selbst, mein Wehrtester, einen Versuch, wie es mit dem Verlage meiner Schriften geht, und machen Sie die Auflage so klein, wie sie wollen. Werden Sie damit zufrieden seyn, so können wir künftig mehrere dergleichen Geschäfte zusammen machen; gefält es Ihnen alsdenn aber nicht, so haben Sie zu disponiren. Geben Sie mir, damit auch dieser Punkt keinen Anstand finde, von dem neuzudruckendem Werkchen, so viele oder so wenige Abdrücke zum Vertheilen an einige Freunde, als Sie selbst wollen. Wie starck das Buch wird, kann ich noch nicht bestimmen. Ich arbeite daran täglich und nächtlich, so wie an die Recensionen für die Bibliothek. Die lezteren erhalten Sie in künftigem Monathe durch einen hiesigen Studenten, der nach Berlin reißt, vielleicht auch ein paar Zeichnungen, die in ♀ gestochen werden sollen, aber so wenige seyn werden, als möglich, überhaupt nur eine oder 2 tabellen, wie ich glaube. Zu Neujahr hoffe ich mit dem Ms^te fertig zu seyn; alsdenn bekommen Sie es auch zeitig genung. Wird ehr etwas fertig, so sollen Sie es auf vorgeschriebene Art: mit der fahrenden Post, übersannt bekommen. Ich verlaße mich nun also ganz auf Sie, und weiß über diese Sache nichts hinzuzufügen, als daß ich ihren Brief an h Hintz, wie Sie mir frey stellten, nicht abgegeben, sondern verbrannt habe. Ich glaube nicht, daß er die noch übrigen Exemplare der Beiträge so wohlfeil verkauft hätte, daß Sie damit zufrieden gewesen wären. Und nun brauchen wir sie gar nicht. Leben Sie wohl und bleiben Sie mein Freund.

Der Ihrige

Ferber.

P.S. Da ich alles eingegangen bin, was Sie verlangt haben /: nur das Durchwäßern à la Biörnstål ausgenommen, womit ich kaum zu rechte kommen würde :/ so braucht es eigentlich weiter keine Verabredung; doch werden Sie mich durch ein paar Zeilen zu finaler Nachricht, die ich bald zu erhalten wünsche, sehr verbinden.

Ignaz von Born

Mitau d. 5 December 1779.

Mein wehrtester Freund, ich habe ihr angenehmes Schreiben vom 8ten Novemb. zu beantworten, welches freilich ehr geschehen wäre, wenn wir nicht
hier bei Gelegenheit der Vermälung unsers Herzogs viele Feste und eben so
viele Abhaltungen von Arbeiten gehabt hätten. Indeßen hoffe ich doch mit
mein Ms^t, welches Sie auf Ostern in eben dem formate und mit gleichen Lettern, als meine vorigen Werckchen, drucken und herausgeben wollen, bis auf
Neujahr fertig zu werden, und es Ihnen nach Abrede mit möglichster Be-
schleunigung, auf die Art, wie Sie es vorgeschrieben, nebst den Zeichnungen
zu den Kupfern, senden zu können. Sie können sich darauf verlaßen. Ob die
Kupfer 2 oder 3 Platten ausmachen werden, kann ich noch nicht bestimmt sagen. Ich mache so wenige, als möglich; doch mögte ich nicht gerne eine oder
andre mir nöthig scheinende Figur auslaßen; also rechnen Sie auf 3 Platten.
Wie stark das Buch wird, zu bestimmen, fehlt es mir an Augenmaas und
Kenntniß, zumal es noch nicht ganz fertig ist. Wenn es aber auf ein Alphabeth
steigt, woran ich beinahe zweifle, so wirds doch kaum diese Größe überschrei-
ten. Der Titel von Reisen oder Sammlungen kann diesmal nicht gewält werden;
weil er zu der Sache und zu der Einkleidung nicht paßt. Vielleicht denke ich
künftig an so etwas und an ein allgemeiner gefallendes und für die meisten Le-
ser schmackhafteres Buch unter fortlaufendem Titel; aber diesmal muß ich
schon meine gewöhnliche Schreibart beibehalten. - Die Anzal der mir zu ge-
benden Exemplare für meine Freunde soll unter uns keinen Streit verursachen. Sie geben mir so viele oder so wenige, als Sie wollen. Hinz gab mir 18
bis 20, wenns nöthig war. Was Himburgs Verlag betrifft, so war es für ihm
keine Kunst mir mehrere zu geben; weil er mir für beide Werke, die er druk-
ken lies, nicht einen rothen Heller gegeben hat. Damals konnte ich noch etwas
wegschenken, welches jezt nicht meine Umstände mir erlauben, und ich that
es theils dh von Born zu Gefallen, theils um den Schaden abzuwenden, den h
Himburg, nachdem er meine Ms^{te} erhalten hatte, aus dem Verlage derselben
haben zu können, befürchten wollte. Doch, das bleibt unter uns. - Melden
Sie mir nächstens, lieber Freund, den ganzen Titel des hn von Heinitz. Ich
will an ihn mein Buch dediciren.

Alle Recensionen von der lezten OsterM. und alle vorher rückständige, die
Sie mir bis jezt aufgetragen haben, sind schon 14 Tage fertig und warten bloß
auf die Abreise des H Goerz, von dem ich lezt schrieb. Mit ihm sende ich Ihnen auch die zur Recens. erhaltenen Bücher zurück, die ausgenommen welche ich auf Rechnung behalte und am Fuße dieses verzeichnet sind. Sollte h
Goerz nicht bald reisen, schicke ich Ihnen die Recens. mit der fahrenden Post,
auf vorgeschriebene Art, zu. Ich erwarte jezt von h Hartknoch ihre neuen
Aufträge zur Recension und die dabei folgenden Bücher. Von jeder Meße er-

*Ignaz Edler von BORN, geb. 1742 zu Karlsburg in Siebenbür-
gen, gest. 1791 in Wien, erhielt seine erste Ausbildung
in Hermannstadt und Wien, trat dann in den Jesuitenorden
ein, dem er aber nur 16 Monate lang angehörte. Nach dem
Studium der Rechte in Prag und einer Bildungsreise durch
Deutschland, Holland, die Niederlande und Frankreich studierte er Naturwissenschaften, Mineralogie und Bergwerks-
wissenschaften und wurde 1770 Beisitzer im Münz- und
Bergmeisteramt in Prag. Die Ergebnisse einer wissenschaftlichen Reise durch Ungarn, Siebenbürgen und Krain wurden
von seinem Freund J.J. Ferber in den "Briefen über mineralogische Gegenstände..." (1774) niedergelegt, einer
Schrift, die ins Englische, Französische und Italienische
übersetzt wurde. Wegen eines Unfalls beim Befahren einer
Grube zog Born sich eine Erkrankung zu, die ihn veranlaßte, mehrere Jahre lang auf seinem Gut Alt-Zedlitz zu leben, wo er literarisch und wissenschaftlich tätig war.
Hier war Ferber sein Gast und Gehilfe. In Prag gründete
er die "Gesellschaft für Mathematik, vaterländische und
Naturgeschichte". 1776 an das Naturalienkabinett in Wien
berufen und 1779 zum wirklichen Hofrat bei der Hofkammer
im Münz- und Bergwesen ernannt, leistete er Bedeutendes
in der Paläontologie, im Bergbau und Salinenbetrieb sowie
als Erfinder eines Amalgamationsverfahrens. Neben Joseph
von Sonnenfels war er eine der führenden Gestalten des
Josephinismus und wie dieser Freimaurer. Born war das
Vorbild des Sarastro in Mozarts "Zauberflöte". Mit der
Berliner Aufklärung verband ihn u.a. die Abneigung gegen
verschiedene Formen des Katholizismus, gegen die er als
Satiriker auftrat.
(Lit. Wurzbach Bd.2, S.71 ff.; G.Gugitz in: NDB Bd.2,
S.467)*

*Die VERMÄHLUNG DES HERZOGS PETER BIRON mit Dorothea von
Medem am 6.November 1779 schildert Elisa von der Recke
in einem Brief vom 18.November ausführlich. Nachdem der
Herzog von seinem ursprünglichen Plan, aus politischen
Gründen die Heirat zu verheimlichen, abgebracht worden
war, wurde die Hochzeit in aller Stille vorbereitet.
"Der Plan gelang vollkommen. Frühmorgens an diesem Tage
ergingen Einladungen an die Verwandten und an die sämmtlichen Landesbehörden für den Abend zum Concert und Abendessen. Dem Superintendenten wurde erst kurz vor dem Ein-
steigen in den Wagen mitgetheilt, daß er sich zu einer
Trauung bei Hofe gefaßt halten möge... Nach 5 Uhr hatte
sich die Gesellschaft in dem Courzimmer versammelt. Der
Herzog mit der Herzogin Mutter trat herein und verkündete
in einer kurzen Rede der Versammlung seine zu vollziehen-*

suche ich Sie mir hinführo bei Gelegenheit den Leipziger Meßkathalogum und auch den ihrigen jedesmal zu senden. Es fehlt mir das 1ste Stück des 34sten Bandes von der allgemeinen Bibl. Dieses Stück ersuche ich, mit erster guten Gelegenheit auf meine Rechnung mir zuzusenden. Die übrigen Bände u. Stücke der Bibliothek habe ich aus ihrer Güte, seit dem ich recensire, durch dh Hinz jedesmal empfangen, wofür ich danke.

Ist die schon vor ein Jahr in den Cathalogen als herausgekommen annoncirte Oryctographia Carniolica in 2 Theilen, wirklich schon heraus? Vielleicht lassen Sie sie von mir recensiren. Hört man noch nichts von der Herausgabe einer Mineralgeschichte von Tyrol durch dh Müller, der über den Turmalin geschrieben hat, wovon mir h v Born schon lange her Nachricht ertheilte?

Weil Sie mein Freund sind, muß ich Ihnen sub rosa eine Neuigkeit, die Ihnen vielleicht zur Nachricht dienen kann, und die ich erst vor 3 Tagen durch die 3te Hand erfuhr, nicht vorenthalten. h Hinz verläst auf Weinachten den Buchhandel, wie es heist, ganz und gar; auf welche Art und Weise ist mir unbekannt, und gegen mich hat er sich kein Wort merken laßen. Ich fordre also von ihrer gegenseitigen Freundschaft gegen mich, daß Sie diese Nachricht geheim halten, und auch künftig niemand wißen laßen, daß ich sie Ihnen gemeldet. Hiedurch erklärt sich nun das Räthsel von selbst, warum er meine Beiträge nicht hat fortsezen können. Wäre es keine speculation für Ihnen hier einen Buchladen zu halten?

Leben Sie wohl! Ich bin mit vollkommener Hochachtung

Ihr

ergebenster

Ferber.

[P.S.]
Bücher von der Ostermeße 1779, die ich behalte:
über d. Athmosphäre. 2r Band.
Gmelin linnäisches Mineralsystem. 4r Band.
Mojsjeenkow vom Zinnstein.
Carosi von d. Niederlausitz
Waldin Frankenberg. Versteinerungen
Tantum.

de Vermählung mit einer liebenswürdigen Tochter des Landes. Jetzt öffneten sich die Flügeltüren und meine Schwester, von Eltern und Geschwistern umgeben, erschien und
nahte sich dem Herzog. Dieser stellte sie nun als seine
künftige Gemahlin vor, faßte ihre Hand und führte sie,
nebst seiner Mutter in den Audienzsaal. Die Versammlung
folgte; dort stellte der Herzog mit seiner Braut sich unter den Thronhimmel, und die Trauung ward vollzogen. Du
wirst Dir, ohne meine Hülfe die Gewalt des Erstaunens
vorstellen, welches die Versammlung überfiel; aber wie
stand unsre Dorothea dar! Aus dem irdischen Fürstenschmuck
leuchtete ein himmlischer Engel hervor. -
...
Den nächsten Sonntag nach dem Vermählungsfeste hielt das
fürstliche Paar einen feierlichen Kirchgang. Die Bürger-
garden paradirten. In der Kirche ward das Te Deum gesun-
gen, und der Kanonendonner verkündete solches der Stadt
und der Gegend umher. Abends war große Versammlung bei
Hofe... Nach einigen Tagen kamen vom Lande die Abgeordne-
ten der Kirchspielkreise, um dem Fürstenpaare die Huldi-
gungen ihrer Glückwünsche darzubringen. Dem Herzoge wurde viel Schmeichelhaftes über die, von ihm getroffene
Wahl gesagt...
Auch von Petersburg her ist kein bestimmter Widerspruch
gegen ihre Vermählung, wenn auch keine entschiedene Zustimmung, eingelaufen. Der Baron von Krüdener, der bei
den Nachfesten der Vermählungsfeier erschien, half sich,
wenn er zu der Herzogin redete, mit der französischen
Sprache durch. Verbindliche Glückwünsche sandten die Höfe
Berlin und Warschau."
(Christoph August Tiedge: Anna Charlotte Dorothea, letzte
Herzogin von Kurland. Leipzig, Brockhaus 1823, S.55 ff.)

> ORYKTOGRAPHIA CARNIOLICA, oder physikalische
> Erdbeschreibung des Herzogthums Krain, Istrien,
> und zum Theil der benachbarten Länder. I.Theil.
> Leipzig, bey Breitkopf, 1778, in gr.4. 162 Seiten,
> nebst einer Karte von Krain, Titelkupfer und 3 Vig-
> netten.

> Jos. MÜLLERS, k.k.Bergwesens Direktorialraths und
> Vicefaktors zu Schwaz in Tyrol, Nachricht von den in
> Tyrol entdeckten Turmalinen, oder Aschenziehern, an
> Ignaz Edlen von Born. Mit 2 Kupfertafeln. Wien, bey
> Krause, 1778, 23 S. gr.4

> Mineralogische Abhandlungen von dem Zinnsteine,
> verfaßt von Theodor MOISIEENKOW, Leipzig, bey Joh.
> G.J.Breitkopf. 1779, in 8. 91 Seiten.

> J.P. von CAROSI, Beyträge zur Naturgeschichte der
> Niederlausitz. Mit Kupfern. gr.8. 1779, Leipzig
> bey Breitkopf.

Mitau d. 15ten Jänner 1780

Hoffentlich haben Sie, mein wehrtester Herr und Freund, meinen lezten
Brief vom 5ten December v.J. richtig erhalten. Die darin gemeldete Abreise des h Goerz, der hier studirt hat und den ich Ihrer Gewogenheit bestens empfehle, verzögerte sich bis zum 4ten dieses Monaths; indeßen
wird er nun wohl innerhalb 8 Tage nach Berlin ankommen und Ihnen Alles
überliefern, was ich ihm für Ihnen mitgab. Dieses war:

1.) Die zum Recensiren gehabte Bücher, welche ich nicht auf Rechnung behalte, von welchen Sie lezt schon das Verzeichniß erhielten.
2.) Ein Diplom der naturforsch. Gesellschaft in Danzig für d H Hoffrath von
Born in Wien, welches ich Sie ergebenst ersuche, ihm mit erster Gelegenheit zuzusenden.
3.) Eilf Recensionen für d. a. d. Bibl., oder Alle, die Sie mir bisher aufgetragen hatten; die lezten drei von der M.M. ausgenommen, die Sie künftig, und so bald es angeht, erhalten sollen. Das No 2 gedachte Diplom liegt
in und bey den Recens:
4.) Acht Figuren für meinem auf Ostern herauszugebendem Werkchen, die
Sie verkleinern und in Kupfer stechen zu laßen belieben. Die Figur No 5.
wird H Goerz in Berlin vollenden und Ihnen übergeben. Mit diesen Zeilen erhalten Sie noch die 9te und 10te Figur, und haben also Alle, die zu meinem
Buche gehören. Wenn sie gehörig verkleinert werden, so können Sie sie alle auf höchstens 3 Kupfertafeln bringen laßen.
5.) Der Anfang des Msts von gedachtem Werckchen, oder die ganze Abhandl.
von Schemniz, von Bogen 1 inclus: 28. Ich würde das ganze Mst mit h Goerz
gesannt haben, wenn der Abschreiber damit fertig gewesen wäre; allein die
Saumseligkeit dieses Menschen oder vielmehr der beiden, die ich dazu ge-
braucht habe und die verdrießliche Mühe des Corrigierens und Collationie-
rens, welche ich nachher noch über mich nehmen muste, machten es unmöglich. Gegenwärtig ist alles ganz fertig - und ich warte nur auf Gelegenheit
es nach Memel zu senden, um es von dannen mit der fahrenden Post weiter
an Sie zu befördern. Melden Sie mir nun doch bald den vollständigen Titul
d. Hrn von Heinitz, der Dedication wegen! Ich darf Sie wohl nicht erst bitten, wegen der genauen Korrektur bei den Abdruck Sorge zu tragen; weil
Sie dies ohnehin thun werden; so wie die typographische Einrichtung der Abtheilungen oder Abschnitte dem Sazer bekannt seyn wird. Schön wäre es,
wenn Jemand, der Mineralogie versteht, die lezte Korrektur übernehmen
wollte.
6.) Mein Portrait; weil Sie es verlangt haben und mir die Ehre erweisen
wollen, es der allgemein: Biblioth. vordrucken zu lassen. Ich danke Ihnen dafür ergebenst, nicht aus Eitelkeit; sondern, weil es ein neues Merkmal ih-

Johann Friedrich GÖRTZ, geb. 1755 in Tuckum (Kurland), gest. 1808 in Mitau, studierte zuerst an der Academia Petrina in Mitau und bildete sich dann in Berlin und Göttingen zum Arzt aus. 1783 promovierte er in Göttingen zum Dr.med. Seit 1784 bis zu seinem Tode praktizierte er als angesehener Arzt in Mitau.
(Lit.: J.Brennsohn: Die Ärzte Kurlands, Riga 1929, S.171)

Am 1.Februar 1780 übergab Görtz folgendes Empfehlungsschreiben an Nicolai:

"Ich empfehle Ihnen, mein wehrtester Freund, dh Goerz aus Curland, der diese Zeilen überbringt und in Berlin die Medicin studiren wird, aufs allerbeste. Es ist mein sehr guter Freund. Sie erhalten durch ihn alle Recensionen für d. allgem.Biblioth., die Sie mir bisher aufgetragen haben und die ich rückständig war, eilf an der Zal. Wenn einige länger gerathen sind, als ich wünschte, so schreiben Sie es nicht mir, sondern der Natur der Sache zu. Ich werde künftig gerne kürzer seyn, wenn ich es nur immer seyn kann. Zugleich überbringt Ihnen h Goerz die mir lezt gesannten Bücher zum recensiren, die ich nicht auf Rechnung behalte, deren Verzeichniß Sie p posto bekommen haben. Ich füge einige Gelegenheitsgedichte, bey der Vermälung unsers Herzogs, und eine kleine Gärtnereyschrift hinzu, so wie auch ein Programm unsers hiesigen Prof: Beitler. Mein Portrait wird Ihnen h Goerz überbringen. Imgleichen die Zeichnungen zu den Kupfern meiner Arbeit für die Ostermeße, und ein Diplom der danziger Societät für dh von Born, welches Sie mit guter Gelegenheit an ihn befördern wollen.
Ich bin mit aller Hochachtung Ihr ergebenster J.J.Ferber Mitau d 32 Decemb.1779"

Johann Gotlieb (von) GROSCHKE, geb. 1760 in Tuckum (Kurland), gest. 1828 in Mitau, gehörte zu den ersten Schülern der Academia Petrina. "Hier war er in sonderheit Ferbers Schüler, und nachher, solange dieser um die Naturkunde hoch verdiente Gelehrte lebte, dessen Freund." (RN, Bd.2, S.110) Seit 1778 studierte er Medizin in Berlin und dann in Göttingen. Mit den in Kassel lebenden Gelehrten Sömmering und Georg Forster trat er in freundschaftliche Verbindungen. Nach Ferbers Abgang aus Mitau

rer Freundschaft ist, auf die ich den größten Werth säze, und weil ich es
mir zur Ehre rechne, an einem so guten und nüzlichem Werke, als die allgemeine Bibl. ist, mitarbeiter zu seyn. Hätten Sie mein Portrait verlangt,
um es dem auf Ostern herauskommendem Buche vorzusezen, so würde ich
es mir verbeten haben; weil es Leute giebt, die mir's vielleicht als eine
Eitelkeit hätten auslegen können, die ich nicht besize. So aber, wenn es vor
einem Bande der allgem: Bibl. erscheint, kann wohl niemand darüber ein
schiefes Urtheil fällen. Das Bild, welches Sie durch hn Goerz erhalten, ge-
höret eigentlich dem hrn Groschke aus Curland, der jezt noch in Berlin ist,
welcher es für sich von der Zeichnung des h Kütners copirt hat, der es auf
Verlangen des h von Born vor einige Zeit machte. Es soll mir sehr ähnlich
seyn.

Vor 3 Tagen kam das Päcken Bücher zum recensiren, welches Sie an
hn Hartknoch geschickt, bei mir an. Diese 3 oder 4 Recensionen erhalten
Sie nächstens. Übrigens bin ich jezt keine einzige Recension rückständig,
womit also ihr gedrucktes Schreiben vom 6sten Wintermonaths beantwortet ist. Bei diesem fand ich auch in dem Päckchen ein sehr alt gewordenes
gütiges Schreiben von ihrer Hand, datirt d 31 Aug. 1779, worin Sie mir die
wichtige Ankunft der mit dh Beckmann gesannten Bücher und Recensionen
melden. Die Oryctograph. Carniolicam habe ich nun schon von h Hartknoch gekauft. Ohnerachtet des im deutsch. Mercur gelegentlich diesem
Buche ertheilten Lobes ist wahrl. nicht viel daran.

Ihre Versicherung, daß dh von Heinitz noch an mich denkt, macht mir freude.
Sie haben wohl Recht, wenn Sie glauben, daß die Akademie meine Sache ver-
hunzt hat; aber was ist dabei zu machen? Es wird sich hoffentlich doch am
Ende alles redressiren können! Man sey nur billig, so will ich's auch gerne
seyn, in so weit es ohne offenbahren Nachtheil sich thun läßt. h Hinz hat mir
gelegentlich erzält, daß Se Mayestät der König Sich von Zeit zu Zeit den Zu-
stand der deutschen Litteratur durch Sie, mein lieber freund, vortragen laße.

Ist das wirklich so, so zweifle ich noch an nichts; weil Sie, mein Freund
sind, und ich empfehle mich Ihnen!

Was ich Ihnen lezt sub rosa von unsern Hinz schrieb, ist ganz gegründet; nur
nähert sich der entscheidende Augenblick noch nicht so bald, als er vor Weinachten selbst gemeint haben soll. Er bleibt noch vor der Hand hier; es heist
aber: er wolle seinen Buchladen, ich weiß nicht wie, an einen andern überla-
ßen und selbst mit einem jungen h v. Fircks künftig auf Reisen gehen. Die
Zeit wird's lehren.

Damit Sie selbst urtheilen mögen, wie starck meine Abhandlungen über Ungarn
werden mögten, wenn sie gedruckt sind, melde ich Ihnen, daß das ganze Mst
mit dem, was H Goerz bringt und was noch hier ist, in allem einige 80 Bogen
beträgt, die freilich bei dem Abdruck sehr zusammenschmelzen werden.

wurde er dessen Nachfolger als Professor für Naturgeschichte und Physik an der Academia Petrina, trat jedoch
seinen Posten erst 1788 nach längerem Studienaufenthalt
in England endgültig an.
Schon am 2.Oktober 1778, wohl bei seiner ersten Ankunft
in Berlin, überreichte GROSCHKE folgendes Empfehlungsschreiben an Friedrich Nicolai:

                                    Mitau d 28.Aug.1778.
Mein verehrtester und lieber Freund,
Herr Groschke, ein Curländer, der hier bey uns studirt
hat, und izt der Medicine und Anatomie wegen nach Berlin
reiset, wird die Ehre haben Ihnen gegenwärtige Zeilen zu
überbringen, die ich ihm, um ihm ihre wehrte Bekanntschaft
zu verschaffen, mitgebe. Er ist ein so fleißiger und recht-
schaffener Jüngling, daß ich, nach der Freundschaft, die
Sie für mich hegen, es wage, ihn Ihnen zu empfehlen.
Leben Sie recht wohl!
                              Ihr ergebenster
                              Ferber.

Von Nicolais Hand finden wir folgende Randbemerkung:
Wohnt in der Walstraße bey der Wittwe Böhmin.

Samuel Gottlob KÜTNER, geb.1747 in Wendisch-Ossig (Oberlausitz), gest. 1828 in Mitau, war der Bruder des Pro-
fessors Karl August Kütner und wirkte als Zeichenlehrer
an der Academia Petrina. Kütner hatte seine Ausbildung
bei dem namhaften Kupferstecher Bause in Leipzig erhalten. Vor allem sind seine Porträt-Stiche bemerkenswert,
die Johann Sebastian Bach, Johann August Starck, Leonhard Euler, Herzog Peter Biron, König Stanislaw August
von Polen und Kaiser Paul I. von Rußland (unvollendet)
darstellen.

SUB ROSA, im Vertrauen, insgeheim.

Ich bat Ihnen schon lezt um ihren Oster- und MichMeßCatal von vorigem Jahre und um ein fehlendes Stück der allg: d. Bibl. Bei genauerem Nachsehen mangeln theils mir, theils der akad: Bibliothek noch ein paar andre Stücke, die ich also auf ein Papier anmerken und hier beischließen werde, mit der Bitte, daß Sie sie mir mit d. ersten guten Gelegenheit zusenden und mich dafür debitiren wollen.

Ich habe vor diesmal nichts mehr hinzuzufügen, als daß ich mit aller Hochachtung und Freundschaft bin

Ihr

ergebenster D^r

Ferber.

Physikalisch = Metallurgische
# Abhandlungen
über die
Gebirge und Bergwerke
in
Ungarn,
von
Johann Jakob Ferber,

Profeßor in Mitau, Mitglied der Königlichen Schwedischen und Großherzogl.
Toscanischen Akademien der Wissenschaften, der Kaiserlichen freyen oekonomi-
schen Gesellschaft zu St. Petersburg, der Naturforschenden zu Berlin und
Danzig, der Physiographischen zu Lund, und der öffentlichen Acker-
baugesellschaften zu Vicenza, Padua und Florenz.

Nebst einer
Beschreibung
des
Steirischen Eisenschmelzens und Stahlmachens
von
einem Ungenannten.
Mit Kupfern.

---

mit Königl. Preuß. allergnädig. Privilegium.

Berlin und Stettin,
bey Friedrich Nicolai, 1780.

Mitau d. 13ten Februar 1780.

Ihr Schreiben vom 1sten d.M, mein hochgeschäzter Freund, habe ich vor
einigen Tagen richtig erhalten. Es ist mir sehr lieb, daß Sie durch dh.
Goerz alle mit ihm gesannte Sachen richtig erhalten haben. Der Rest meines Manuskripts, mit dem Titul und Innhalt, muß nun schon lange in ihren
Händen seyn, worüber ich mit erstem ihre Versicherung erwarte. Am
20sten Januar sannte ich alles, wohl eingepackt, frei bis Memel, wo es
spätestens den 23sten angekommen ist. Der hiesige Postmeister hatte bereits vorher bei dem Memelschen veranstaltet, daß das Paket mit der fahrenden Post nach Berlin sogleich befördert werden sollte, und auf dem dabei gehendem Briefe an Sie waren alle mir vorgeschriebene Cautélen beobachtet. Da ich hier den richtigen Titul des H^n v. Heinitz erfahren habe, so
schicke ich Ihnen hierbei die kurze dedication meines Buchs an diesen Herrn.
Aus dem Titul des Buchs werden Sie bereits ersehen haben, daß es nicht aus
mehreren nachfolgenden Theilen besteht. Thun Sie nun ja ihr Bestes, mein
wehrtester Freund, daß mein Werckchen zur Ostermeße oder wenn es ganz
unmöglich wäre, doch bald darnach ans Licht trete. Ich bitte Sie recht sehr
darum, und danke Ihnen für die mir zugestandene 20 Exemplarien gratis. Eins
davon belieben Sie, so bald es fertig wird, für meine Rechnung sauber
einbinden zu laßen und in meinem Namen an des H^n. v. Heiniz Excell. abzugeben. Ein zweites wünsche ich mit einem unten zu nennenden Mitauer Kaufmann, wenn er von der Leipz: Meße hieher zurückkehrt, für mich zu erhalten. Über die übrigen Exemplare werde mir nächstens die Freiheit nehmen
zu disponiren.

Ihr Brief an dh Bar. v. Krüd: ist ihm richtig eingehändiget worden, ohne daß
Er weiß, unter weßen Einschluß er hieher gekommen. Auf ihr Verlangen, will
ich Ihnen aufrichtig rathen, wie Sie zu ihrem Gelde kommen können, falls er
nicht antwortet und selbst bezalt; nur muß er nicht wißen, daß ich Ihnen dazu
gerathen habe. Es giebt zwei Wege, der eine: daß Sie an den hiesigen Herrn
HofgerichtsAduokaten Bollner /: der an Ihnen wegen Theile der allg: d. Bibl.
vor einiger Zeit schrieb :/ eine assignation auf h. K. einschicken und ihm
das Eincassiren auftragen. Der 2te: daß Sie an den Schwiegervater des Baron, den Hochwohlgebohrnen Herrn von Schick, Bürgemeister in Riga, schreiben, ihm melden, daß Sie auf verschiedne Briefe an seinen Schwiegersohn
keine Antwort erhalten hätten und also vermuthen müßten, daß ihre Briefe,
wegen des veränderten Aufenthalts des Barons, bald in Petersburg, bald in
Riga, bald in Mitau, verlohren gegangen. Da Sie nun gehört hätten, daß dh
Bürgemeister die häußlichen Angelegenheiten des Barons in seiner Abwesenheit besorge, so wannten Sie Sich an ihn etc. Der reiche Schwiegervater wird
alsdenn ohne Zweifel bezalen; wenigstens hat er weit größere Summen für
seinen Tochtermann berichtiget.

Burchard Alexius Konstantin (Aleksej Ivanovic) von KRÜ-DENER, geb. 1746, gest. 1802, studierte in Leipzig und war dann im Dienste des russischen Kollegiums der Auswärtigen Angelegenheiten tätig, und zwar seit 1771 in Madrid und in Warschau. 1779 bis 1784 diente er als Minister in Mitau, von wo er nach Venedig geschickt wurde. Es folgte die Tätigkeit als Gesandter in München, Kopenhagen, Madrid und Berlin. Krüdener war in zweiter Ehe mit Eva Maria geb. Schick, geschiedener von Tiesenhausen, verheiratet, die eine dritte Ehe mit Woldemar von Löwis schloß. Krüdener heiratete nach seiner Scheidung von ihr, über die in diesem Briefwechsel auch berichtet wird, Juliane von Vietinghof-Scheel.
(DbBL, S.416)

Karl Johan BOLNER, geb. 1733 in Windau, gest. 1782 in Mitau, studierte in der Geburtsstadt seines Vaters Königsberg (Preußen) und in Jena und war wie dieser Jurist. Seit 1758 war er Hofgerichts-Advokat in Mitau. Seine Mutter Dorothea Bolner, Tochter des Pastors Franz Joachim Simonis, ist eine bemerkenswerte Erscheinung des damaligen geistigen Lebens in Mitau. "Durch den von ihrem Vater erhaltenen Unterricht selbst in alten Sprachen bewandert, waren nicht nur gründliche deutsche, sondern auch lateinische, vorzüglich aber politische Schriften ihre Lieblingsunterhaltung. In jüngern Jahren arbeitete sie für ihren Mann und späterhin auch für ihren Sohn, den Hofgerichtsadvokaten Karl Johann Bolner, in Rechtshändeln; ja selbst noch in ihrem hohen Alter von 90 Jahren besaß sie so viel Geisteskraft und Munterkeit, daß sie sich mit lateinischen Aufsätzen, so wie mit deutscher Dichtkunst beschäftigen konnte. Wenige Wochen vor ihrem Tode schrieb sie noch Briefe in einem wahrhaft männlichen Style, ohne den kleinsten Fehler in Sprache und Rechtschreibung, und dabei kalligraphisch schön. Ein kleines Gedicht, das sie einst auf den Namen der Herzogin Dorothea verfertigt hatte, beantwortete diese Fürstin mit einem schmeichelhaften Handschreiben, das in die Mitausche Zeitung 1789 St.61 eingerückt ist."
(RN, Bd.1, S.217)

Bei dem Pakete meines M^{sts} sannte ich Ihnen lezt auch Pötsch min.
Beschr. von Meißen zurück; weil ich sie selbst schon hatte. Die übrigen
Bücher und auch die Oryctograph. Carniol. werde ich, ihrem Auftrag ge-
mäß, nächstens recensiren.

Die lezt bestellten Theile der allgem. Bibl., die mir fehlen, ihre Katalo-
gen vom vorigen Jahre etc. erwarte ich gelegentlich. Aus Mitau reißt der
Kaufmann h. Ecks nach Leipzig zur Meße. Er soll Sie in Leipzig aufsuchen.
Mit ihm Bitte ich mir
> den Allgemeinen OstermeßCatalog für 1780 in 4°
> Werners Entwurf einer Lehre von Gebürgen 8° 1777. O.M.
> und was sonst neues an kleinen mineralog. Schriften in d.
> Ostermeße herauskommt, so wie auch
> 1 Exempl. meines eigenen neuen Buchs

zuzusenden. Ich hoffe bald einige Zeilen mit der Post von Ihnen, zur Nachricht von dem Empfang des obgedachten Pakets zu erhalten. Leben Sie recht
wohl! Ich bin von Herzen

Ihr

ergebenster Freund
und Diener

Ferber.

Brief 24   ab: 23.3.80   an: 1.4.80   beantw.: 13.6.80

Mitau d. 23. März 1780.

Mein wehrtester Herr und Freund,

Sie thäten mir einen großen Gefallen, wenn Sie nur durch ein paar Zeilen
mich benachrichtigen wollten, ob der Rest meines M^{sts} welcher am 20sten
Januar von hier abging, wie ich übrigens nicht bezweifeln kann, richtig angekommen ist! Ich bat Ihnen darum, auch in meinem Briefe vom 13ten februar, welchen Sie wohl erhalten haben werden; aber vermuthlich haben
Ihnen ihre Geschäfte abgehalten, meinen Wunsch bißhero zu befriedigen.
Ich bin, wie Sie wißen,

Ihr

ergebenster Freund
und Diener
Ferber.

88

Johann Heinrich SCHICK, geb. 1717 in Riga, gest. 1789 in
Riga, war Sohn eines aus Stralsund eingewanderten Kaufmannes. Er studierte in Leipzig und war seit 1746 Sekretär
des Rats, Ratsherr (1753) und Bürgermeister (1762). Er
besaß das Gut Kokenhof in Livland.

C.G. PÖZSCHENS, der Leipziger oekon. Soc. Mitglieds, ausführliche mineralogische Beschreibung
der Gegend um Meißen. Mit Kupfern. Dresden, 1779,
bey Walther. 138 Seiten in gr.Octav.

Der Kaufmann Ecks aus Mitau überreichte Nicolai am 14.März
1780 folgendes Empfehlungsschreiben:

Mein wehrtester Herr und Freund,
Herr Ecks, Kaufmann in Mitau, reißt nach Leipzig zur Meße
und hat die Güte, bey seiner Retour ein klein Päckchen
Bücher für mich mitnehmen zu wollen. Ich ersuche Sie also, das allgemeine Bücherverzeichniß von der bevorstehenden Ostermeße und andre Kleinigkeiten, um die ich Sie lezt
bat, durch Ihn mir zuzusenden, und verharre

Ihr
ergebenstr D^r
Mitau d 19 Februar 1780.
Ferber

Mitau d 4. Junii 1780.

Sie erhalten, mein wehrtester Freund, durch dh von Grothuss aus Curland,
der seiner Gesundheit wegen nach Carlsbad geht und den ich Ihnen bestens
empfehle, die mir überschickten Exemplare von Pini Vol I de metallorum
excoctione und von der Oryctographia Carniolica zurück. Die Recensionen
beider dieser Bücher schließe ich dabei ein, und bin Ihnen nur noch ein paar
rückständig, welche Sie jezt auch erhalten haben würden, wenn sie reinge-
schrieben wären. Die aus Leipzig übersannten Theile und Stücke der all-
gem:d. Bibl:, den OstermeßCatalogum und 2 Exemplare meines Buchs über
Ungarn brachte h Ecks richtig mit sich, und ich danke Ihnen für die gute Besorgung dieser Sachen. Bei erster Gelegenheit wünsche ich 2 Exemplare ihres eigenen Bücherverzeichnißes von der Ostermeße mit beigesetzten Prei-
sen zu erhalten. Die praenumeration auf h Jacobsons technologisch. Werk
werde ich hier so gut, als möglich, besorgen; fürchte aber nicht viel ausrich-
ten zu können. Ich zweifle nicht daran, daß Sie die Güte gehabt, ein gut ein-
gebundenes Exemplar meines Buchs über Ungarn in meinem Namen an dh v.
Heiniz Excell. zu überreichen, wie ich Sie vor langer Zeit bat. Dadurch, daß
ich nun eine geraume Zeit von Ihnen keinen Brief erhalten habe, bin ich abgehalten worden, Sie zu rechter Zeit um die Vertheilung der übrigen mir zuge-
standenen Exemplare zu bitten. Ich hoffe, daß Sie durch die, bei ihrem Buchhandel vorfallende häufige Speditionen nachstehende Exemplare an die behöri-
gen Orte und Herren bald befördern können, und ersuche Sie darum ergebenst;
nämlich

1 Exempl. an dh Hoffapotequer Meyer in Stettin
1   -   an Hrn Chirurgus Nicksius in Danzig,
1   -   "   -   Baron Zorn von Plobsheim in Danzig.
1   -   "   -   Hoffrath v. Born in Wien.
1   -   "   -   Prof. Bernoulli in Berlin.
1   -   "   -   Directeur Margraf in Berlin.
1   -   "   -   die naturforsch. Gesellschaft in Berlin.
1   -   "   -   Hn geheimen Rath Stengel in Mannheim.

Das leztgedachte Exemplar belieben Sie für meine Rechnung in engl. Band
sauber einbinden zu laßen; die übrigen werden uneingebunden abgeliefert.
Alsdenn bleiben mir noch neun Exemplare übrig und diese wünsche ich mit
erster guter Gelegenheit, wenn Sie nach Riga oder Mitau etwas absenden,
unter meiner addresse hieher zu bekommen. Trifft sich keine andre Gelegenheit bald, so schicken Sie sie mir über Lübec zu Waßer nach Libau, zu.
Noch eins! Wenn Sie künftig an mich schreiben, so bitte ich die Briefe jedesmal directe mit der Post und nicht unter Einschluß an h Hinz oder h Hartknoch abgehen zu laßen; weil ich sie sonst spät und unordentlich erhalte.
Leben Sie recht wohl! Ich bin unveränderlich
Ihr   ergebener Freund und Diener   Ferber

P.S. Ist die, im allgemeinen Bücherverzeichniße von der Ostermeße 1777 angezeigte Lehre von Gebirgen, von h Werner, nicht wirklich in Druck erschienen?

> *Hermenegildi PINI C.R.S.P. De Venarum metalli-*
> *carum Excoctione. Vol.I. Vindobon. apud Krausium.*
> *1780. 275 S. in 4. und 24 Kupfertafeln.*

Die Rücksendung dieser Bücher wurde in der Buchhandlung
anscheinend nicht richtig registriert. Jedenfalls findet
sich im Briefwechsel folgender Zettel, aus dem man ersehen kann, wie der Verkehr mit den Rezensenten abgewickelt
wurde:

"Herr Prof.Ferber in Mietau hat folgende Bücher zur Rezen-
sion erhalten und werden gebethen, solche zu remittieren
oder anzuzeigen, was davon auf Rechnung behalten wird
  philosoph.Abhandl. d.Bayerischen Akademie, 1.B.
  Pini de Venarum metallic. Vol.1
NB Pini de metall.excoct. sannte ich nebst der Oryctogr:
Carniol. und den Recensionen dieser beiden Bücher (verte)
[auf der anderen Seite:]
d 5ten Junii mit d H von Grothussen H Nicolai ab und zurück.
Die phil.Abh. der bayerischen Akademie behalte ich, und
bitte sie in Rechnung zu bringen.
      eingetragen."

> *Johann Karl Gottfried JACOBSON: Technologisches*
> *Wörterbuch, oder alphabetische Erklärung aller*
> *nützlichen und mechanischen Künste, Manufakturen,*
> *Fabriken und Handwerker, wie auch aller dabey vor-*
> *kommenden Arbeiten, Instrumente, Werkzeug- und*
> *Kunstwörter, nach ihrer Beschaffenheit und wahren*
> *Gebrauche. Berlin, Stettin, Nicolai 1781 ff.*

Johann Carl Friedrich MEYER, geb. 1733 in Stettin, gest.
1811 in Stettin, Hofapotheker und seinerzeit berühmter
Chemiker und Pharmazeut. Meyer war Mitglied der Naturfor-
schenden Gesellschaft in Berlin und der Berliner sowie
der Petersburger Akademie der Wissenschaften. Unter an-
derem untersuchte er die von Pallas in Sibirien gefunde-
ne Eisenstufe.

Friedrich August ZORN VON PLOBSHEIM, geb. 1711 in Dan-
zig, gest. 1789 in Danzig. Er studierte in Straßburg und
befaßte sich hier und auf längeren Reisen vor allem durch
Frankreich mit naturwissenschaftlichen Studien. In seine
Heimatstadt zurückgekehrt, wurde er ein führendes Mit-
glied der 1742 hier errichteten naturforschenden Gesell-
schaft, in deren Schriften er mehrere Arbeiten veröffent-
lichte. Auch bemühte er sich um das Naturalienkabinett.

Mitau d 6. August 1780.

Mein hochgeschäzter, lieber Freund, Ihren Brief vom 11ten Junii erhielte
ich überaus spät   von h Hartknoch, ungefär vor 3 Wochen; weil er mit seinen Meßsachen zu Waßer angekommen war. Den 2ten Brief vom 19ten Jul.
bekam ich mit der Post, und werde jezt die Ehre haben beide zu beantworten. Die Einlagen an h Hinz übergab ich ihm beide Male unverzüglich, und
den Brief an dh Bürgemeist. v. Schick in Riga gab ich auf der Post. Wahrscheinlich haben Sie von beiden Herren bereits Antwort erhalten. Ich danke
Ihnen recht sehr für die gute Besorgung des Abdrucks u Verlags meines
Buchs über Ungarn, so wie für die Berechnung des Honorarii und für die Bezalung oder Liquidation der Recensionen etc. Nur bedaure ich, daß ich für
die assignation auf 22$\#$ an h Hinz noch diese Stunde keinen Heller bekommen habe. Ich stellte mir zwar sogleich, als ich diese assignat. empfing,
die Schwierigkeit im Geiste vor; da aber h Hinz versprach sie zu bezalen,
mir eine Anweisung für ihn zeigte, wo er das Geld hohlen wollte, und den
Tag dazu bestimmte; so wartete ich bishero an Sie zu schreiben, in der
Meinung: er würde einen andern Tag es bezalen, worüber jezt 3 Wochen vergangen sind, ohne daß ich etwas erhalten habe. Vor einigen Tagen gieng ich
nach seinen Buchladen und erfuhr, daß er wider aufs Land gereißt sey
/: Nach Hasenpoth, 20 Meilen von Mitau, wo er einen jungen h v. Fircks unterrichtet :/ und erst um Michaeli zurück kommen werde. Es ist also wohl
wenig Hoffnung, daß ich diese assignation bei ihm anbringe, und ungewiß, ob
und wenn er sie einlöset. Mit ihrer gütigen Erlaubniß schicke ich sie also
zurück, und werde mir die Freiheit nehmen die benannten 22 Dukaten auf Sie
in Berlin zu assigniren, wozu nächstens vielleicht Gelegenheit vorfallen dürfte. Ich will hoffen, daß h Hinz an Ihnen, mein wehrtester Freund, die remes-
sa über Holland wirklich besorgt hat, von welcher Sie in ihrem Briefe melden. Gegen mich hat er sich geäußert: er wolle es ohnfehlbahr thun, und
mich überhaupt gebethen, von seiner Verfaßung Ihnen alles Gutes zu melden.
Da Sie mich auch nach seinen wahren Umständen fragen, so wünschte ich davon zuverläßig unterrichtet zu seyn, um weder der Wahrheit, noch der
Freundschaft gegen h Hinz zu nahe zu treten; ich muß aber offenherzig gestehen, daß seine ganze Wirthschafft und sein ganzer Plan für mich und für
vielen andern seinen sonstigen Freunden ein undurchdringliches Rätsel sey,
und daß niemand hier voraussehen könne, was endlich am Ende dabey herauskommen werde. Dies ist alles, mein liebster Freund, was ich Ihnen sub
rosa anzuzeigen mich verpflichtet erachte, und auch alles, was ich weiß.

Von h Hinz habe ich die Exemplare meines Buchs über Ungarn, die Sie mit
seinen meßgütern abgeschickt hatten, vor 8 Tage richtig erhalten. Da Sie
aber ohnedem die Güte gehabt, an den von mir angezeigten Freunden und
Gönnern in Berlin, Stettin, Wien, Mannheim und Danzig, Exemplare aus-
theilen zu laßen, wofür ich Ihnen herzl. Dank sage, so versteht sich's von

REMESSE, Geld- oder Wechselsendung

*Die Assignation, die Ferber an Nicolai zurücksandte, liegt
dem Briefwechsel bei; sie lautet:*

*"Zwanzig und zwey richtige Ducaten, schreibe 22 Ducaten,
oder deren Werth beliebe Herr Jacob Friedrich Hinz in Mietau zu zahlen für meine Rechnung an den Herrn Prof Ferber
in Mietau. Es valediret laut Advis.
Berlin d.13 Juni 1780*

Friedrich Nicolai"

*Johann Ehrenreich von FICHTEL. K.K.Kammerrath in
Siebenbürgen etc. Beytrag zur Mineralgeschichte
von Siebenbürgen. Erster Theil, welcher die Nachricht von den Versteinerungen enthält. 158 Seiten
in groß Quart, mit einer Landcharte von Siebenbürgen und 6 andern Kupfertafeln. Zweyter Theil Geschichte des Steinsalzes und der Steinsalzgruben
in Siebenbürgen. 134 Seiten in groß Quart mit 4
Kupfertafeln. Herausgegeben von der Gesellschaft
naturforschender Freunde in Berlin. Nürnberg in
der Raspischen Buchhandlung 1780.*

*Unterricht von den Steinkohlen ihrem Gebrauche
zu allen Arten von Feuern; und den theils allgemeinen theils besonderen Vortheilen, die mit diesem Gebrauche verbunden sind. Ein Auszug aus dem
französischen Werke des Hrn. D.VENEL, der medic.
Fakultät zu Monpellier Mitglied. 12 Bogen in gr.8.
mit 9 Kupfertafeln. Dresden 1780. In der Walthe-
rischen Hochbuchhandlung.*

selbst, daß ich Ihnen die mir nicht zukommende oder überzälige Exemplare, sobald sich eine gute Gelegenheit dazu findet, in natura franco zurücksende.

Mit der praenumeration auf h Jacobsons technol. Werke will es hier noch nicht fort; doch hoffe ich doch am Ende einige praenumeranten zusammenzubringen und gebe mir deswegen alle ersinnliche Mühe. Die paquete der advertissemens nach Libau u Mitau, die mir h Hinz mit den gedachten Büchern über Ungarn überliefert hat, sind schon an ihre Behörde abgegeben.

Fichtel von Siebenbürgen und Venel von Steinkohlen habe ich von h Hartknoch bekommen und schon recensirt. Habe ich heute noch Zeit diese Recens. auf postpapier abzuschreiben, so werde ich sie hier beyschließen; sonst erhalten Sie sie mit den paar noch rückständ. Recens. zuverläßig im nächsten Briefe. (Es folgt nur die über Venel hiebey.)

Den OstermeßCatalog, den Sie allemal herausgeben, habe ich mit den Büchern nicht erhalten. Mit nächster Gelegenheit erwarte ich davon 2 Exemplare, und so jedesmal von jeder Meße.

Das Kästchen von h Stengel aus Mannheim habe ich schon bekommen und bitte das ausgelegte Porto mit 1 Th 22 g. in der nächsten Rechnung auf mein Debet zu sezen.

Ich habe zwar alle Ursache Sie, mein wehrtester Freund, recht sehr für das Geschenk zu danken, welches Sie mir nicht allein mit den Theilen der allgem: deutsch. Bibl., wozu ich selbst Recens. geliefert, sondern auch mit den lezt erhaltenen ältern Theilen, die mir fehlten, gemacht haben, und danke Ihnen hiedurch dafür aufs ergebenste. Allein ich habe jezt eine doppelte Bitte Ihnen vorzutragen. 1) wenn ich künftig von Ihnen einige fehlende Theile oder Stücke der Bibl., die früher, als ich Mitarbeiter ward, erschienen sind, verlange, so bringen Sie sie mir ohne Umstände in Rechnung. Ich verlange sie alsdenn vielleicht für andre hiesige Liebhaber, und wenn es auch für mich wäre, so ist es doch nicht mehr, als billig, daß ich sie bezale.

2[s]) Wenn Sie aus Güte und Gefälligkeit künftig fortfahren wollen mir ein Exempl. der Theile oder Stücke der Bibl. zu schenken, wozu ich Beiträge geliefert habe oder liefern werde, so bin ich Ihnen dafür sehr verbunden; ich muß Sie aber alsdenn auch ersuchen, mir ebenfalls die Zwischenstücke, worin nichts von mir enthalten ist, mitzuschicken und für diese mich zu debitiren; weil ich sonst die Bibliothek unvollständig erhalte. Jezt habe ich zum Beispiel das 2te St. des 39st. B[des]; aber das 1ste St. fehlt mir. Auch fehlen mir die 5te und 6ste Abtheilungen des Anhangs zum 25 - 36 Bande. Nach dieser Verabredung also, nehme ich mir die Freiheit am Fuß dieses Briefs die Theile und Stücke der Bibliothek anzuzeigen, die ich Sie ersuche, mir mit erster Gelegenheit zuzusenden, vielleicht unter h Hartknochs Sachen; aber mit besondrer address an mich versiegelt, damit nichts aus-

falle oder liegen bleibe. Mit h Hinz Sachen bitte ich mir nichts mehr zuzusenden. Weil er nicht hier ist, bleiben seine Sachen theils in Lübeck,
theils in Riga, aus Mangel der Anstalten, lange ruhig liegen und ich erhalte sie zu spät.

Vor diesmal weiß ich nichts mehr zu schreiben; sondern empfehle mich ihrer schäzbahren Freundschaft aufs beste, und bin von ganzem Herzen

Ihr

ergebenster D^r

Ferber.

PM.
Allgemeine deutsche Bibliothek:
Band 25.
-    26.
-    27.
-    38.
-    39. 1stes St.
-    40. 2tes   -
Anhang zum 13 bis 24 Bande:
1ste und 2te Abtheil. /:NB die 3te habe ich :/
Anh. zum 25 bis 36 B^{de}
5te und 6ste Abth. /:NB die vorhergehenden habe ich :/
2 Exemplare von h Nicolai Catalog der Ostermeße 1780.

Ich berufe mich, mein wehrtester Freund, auf mein leztes Schreiben vom 6sten August. Wider Vermuthen hat h Hinz heute mir die 22 Ducaten, die Sie auf ihn leztens assignirten, auszalen laßen. Da ich Ihnen die assignation zurückgesannt habe, so gab ich seinem Commis/: denn er ist selbst noch immer auf dem Lande :/ eine Quittung über diese 22 #, wodurch die assignation getödtet oder ungültig gemacht wird. Ich melde es Ihnen sogleich, damit Sie sich darnach richten können und wißen mögen, daß ich jezt bezalt bin.

Wenn Sie mir die lezt verlangten Theile der a. d. Bibl. schicken, bitte ich 2 Exemplare der in d. O.M. herausgekommenen Betrachtungen eines Freundes bei dem Grabe des h Grafen von Mattuska. 8.° Breslau bey Löwen, beizufügen. Ich wünsche sie bald zu erhalten, empfehle mich Ihnen und bin von Herzen

Ihr
ergebenster Freund
und Diener
Ferber

Mitau d. 7 Sept. 1780.

Mitau d. 5. Octob. 1780.

Auf mein leztes vom 7ten Sept. und auf ein vorhergehendes vom 6sten Aug. berufe ich mich in allen Stücken. Nachher fand ich am 19 Sept. Gelegenheit, Ihnen, mein werthester Herr und Freund, 9 überflüßig mir gesannte Exemplare meines Buchs über Ungarn, durch h Wale, der in Gesellschaft des Hn Stumpff nach Berlin reisete, zurückzusenden. Mit den 9 Exemplaren die Sie für mich in Berlin etc. in der O.M. austheilten und mit den 11 Exemplaren, die ich von den, durch h Hinz mir gesannten 20 Exemplaren abgenommen, sind die mir versprochenen 20 Exemplare von Ihnen erlegt. Von der Meße hatten Sie mir aber 2 andre Exemplare vorher zugeschickt, so, daß ich in allem 22 Ex. bekommen habe, und Sie mir also 2 in Rechnung zu bringen haben, oder mich dafür zu debitiren.

vertatur

Sie erhalten bey diesen Zeilen 4 Recensionen, wodurch ich alle bisher restirende abgetragen habe, und nun nächstens eine Zuschrift von Ihnen erwarte.

Ihr
ergebenster Freund
und Diener
Ferber.

Heinrich Gottfried Graf von MATUSCHKA, geb. 1734 in Jauer, gest. 1779 in Pitschen bei Breslau, war kgl.preußischer Oberamtsregierungsrat und Generallandschaftspräsident von Mittelschlesien. Nach dem Studium der Philosophie und Jurisprudenz widmete er sich dem Studium der Algebra, Astronomie, Ökonomik und Botanik. Er verfaßte u.a. eine "Flora Silesiana", 2 Teile, 1776. Der Titel der gewünschten Schrift lautet:

> *Betrachtungen eines Freundes bei dem Grabe des verdienstvollen schlesischen Patrioten, Weltweisen und Menschenfreundes Matuschka, Breslau 1780.*

Exlibris Friedrich Nicolai

Mitau d. 18 Januar 1781.

Mein hochgeschäzter Freund,
Ich habe 2 ihre liebe Zuschriften zu beantworten: vom 30 Sept. und 4ten
Novemb. d.J. Das erste Schreiben erhielte ich nebst den verlangten Theilen der a.d.B. etc. durch h Bienemann, der in England gewesen, am 21sten
December; das zweite oder gedruckte Schreiben, nebst d. Beobacht. über
die Gebirge um Königshayn am 5ten d.M. von h Hartknoch aus Riga. Sie sehen also, daß es meine Schuld keineswegs ist, wenn meine Antwort erst jezt
erfolgt. In dem leztgedachtem Briefe lag das Verzeichniß der Recensionen
1780 M.M. die Sie von mir verlangen; Ich fand aber darin nicht die erwänten
Briefe an h Hinz u h Krüdner, welche Sie vermuthlich auf andre Art bestellt
haben werden. Hingegen enthielte ihr erster Brief von 30sten Sept: eine Einlage an h Hinz, die sogleich in seinem Laden abgegeben wurde.

Für die Ehre, die Sie mir dadurch erwiesen haben, daß Sie mein Bild in Kupfer stechen und dem 41sten Bande d. a.B. vorsezen laßen, danke ich Ihnen
ergebenst, und werden es als ein Merkmal ihrer Freundschaft schäzen. Der
Stich ist recht gut gerathen und soll mir auch ähnlich sehen, wie mir Andre
sagen, die es beurtheilen können.

Ich bedaure von Herzen, daß dh. B. Krüdner u h Hinz Ihnen die Gelder, die
Sie zu fordern haben, nicht zalen, und wünschte, daß ich im Stande wäre Ihnen dazu zu verhelfen. Außer dem aber, daß meine Erinnerungen wahrscheinlich ganz fruchtlos seyn würden, machen auch verschiedene Verhältniße worin ich hier stehe, daß ich mich damit nicht befaßen kann, und Sie sogar bitten muß ihre Briefe an diese Herren künftig directe mit der Post und nicht
unter meinem couvert, abgehn zu laßen. Ich bin völlig überzeugt, daß Sie,
mein wehrtester Freund, mir keine unangenehme Stunde machen wollen, und
ich würde ohne Zweifel dergleichen nicht entgehen, wenn ich hierin Mittels-
person sein würde, wobey ohnehin nichts gewonnen wäre. Mein aufrichtiger
Rath ist der, daß Sie nochmals an den Minister ganz höflich schreiben und
ihn durch Ehre und complimente zum Ziel zu bringen suchen. An h Hinz
könnten Sie ohnmasgeblich schon etwas ernsthafter schreiben und Ihn, im
Fall er nicht bezalt, mit Verklagen und Intercession durch ihr dortiges Mi-
nisterium beim Herzog, drohen. Hilft das nicht, so werden Sie wohl genöthiget
seyn wirklich Ernst zu brauchen. Sollte es dazu kommen, so schlage ich Ihnen vor, mit dh Hofgerichtsadvokaten Bollner darüber die nöthige Rücksprache zu halten, wenn er in bevorstehendem März oder April durch Berlin seiner wankelhaften Gesundheit wegen nach dem Bade reißt. Er kann und wird
ohne Zweifel beide Commissionen übernehmen. Damit Sie ihn gewiß sprechen,
werde ich ihn an Sie addressiren und ihm einen Brief mitgeben. Der Minister hat durch seine Frau oder Schwiegervater, den Bürgemeister von Schick
in Riga, Geld und Einnahme die Menge; obschon er hier was rechts aufgehen

Bolner übergab am 3o.April 1781 folgendes Empfehlungsschreiben:

Mitau d. 20.März 1781.

"Ich empfehle Ihnen, mein wehrtester Herr und Freund, durch
diese Zeilen den Herrn Hofgerichtsaduokat Bollner auf's
beste. Dieser mein Freund wird sich in Berlin einige Wochen aufhalten und sodann nach einem Bade reißen.
Ich bin ohnabläßig

Ihr

ergebenster D^r

Ferber."

Der Hofgerichtsadvokat hatte noch vor seiner Abreise aus
Mitau Nicolais Brief erhalten und sofort gehandelt. Darüber berichtete er:

"HochEdler Herr,
Insonders HochzuEhrender Herr!
Bey Ankunft dero geehrten Schreibens war Herr Hintz, wie
ich gleich darauf erfuhr, gerade hier in Mitau. Ich ließ
Ihn also aufsuchen und zu mir nöthigen, überreichte Ihm
dero Schreiben, und sprach lange über dero Forderung. Er
betheuerte daß nichts als Scham Ihn bisher abgehalten habe die Correspondence mit Ewr.HochEdlen fortzusetzen; und
daß er auch nicht fähig sey dieselbe eher wieder anzufan-
gen als bis dero Forderung gänzlich getilgt seyn würde.
Mittlerweile, versicherte Er mir weiter, sey er schon aber
im Begriff gewesen denenselben einen Theil der Schuld zu
remittiren, und würde solches mit nächsten bewerckstelli-
gen. So gern ich Ewr HochEdlen sofort zu dero ganzen Forderung verholffen hätte; so hielt ich es doch der Klugheit
gemäß im zweiffelhaften Fall so viel zu nehmen als man ohne große Umstände erhalten kann, weil sonst dieses, mit
dem übrigen zugleich verlohren gehen kann. Ich versicherte
Ihm also daß ich, wenn Er izt nur Wort hielte und den
Wechsel NB: mir zustellte, alsdenn denselben vor der Hand
acceptiren, und Ewr HochEdlen wegen der Residui noch zu
einiger Nachsicht zu bewegen suchen wolle. Hierauf nun
Herr Hintz mir endlich am 5ten hujus das hier beigehende
Schreiben mit der Versicherung daß der versprochene Wechsel drin seyn solle, überreichen laßen, welches ich nicht
anders als nur um zu sehen ob ich nicht mit leeren Worten
abgespeist worden, entsigelt habe, und darüber also dero
gütige Verzeihung hoffe.
Dem Herrn Ministre von Krüdner habe ich dero Schreiben
nicht eher als gestern überreichen können weil derselbe
verreiset gewesen und erst ehegestern wieder retourniret
ist. Anfänglich versicherte er mir die Zahlung auf Ostern,
endlich aber in künftiger Woche. Vielleicht erfüllt er

läßt. Wie aber h Hinz Sachen stehen, weiß niemand. Er agirt Hoffmeister auf dem Lande und kommt jezt höchst selten zur Stadt. Sein Buchladen wird für seine Rechnung von einem gewißen Gersimsky, der by Hartknoch gedient hat, verwaltet; enthält aber nur noch alte Sachen und sezt wenig ab. Schulden haften auch noch darauf in Menge, obschon er noch verschiedene ausstehende Forderungen hat. Es weiß hier Niemand seinen Plan, seine wahren Umstände und welches Ende das Ding nehmen wird, so wie auch mir und allen seinen Freunden seine Gleichgültigkeit und Sorglosigkeit dabei ein Räthsel ist. Alles dieses schreibe ich Ihnen sub rosa.

Die Recensionen werde ich zu rechter Zeit einschicken; nur kann Hartknoch mir Cancrini Anfangsgr. VII. 3 und Herwigs Beschreib des schmalkald. Eisenschmelzens, NB d. neueste Ausgabe, nicht vor's Frühjahr schicken. Es ist hier ein Elend für mich, daß ich die einzige Seele in der ganzen Gegend bin, die dergleichen Sachen liest und studiret. Wäre ich doch bei Ihnen! Kopf und Hand sollten Ihnen zu Geboth stehen.

Wenn Sie können, so schicken Sie dh v. Born in Wien einen oder 2 Abdrücke meines Bildnißes! Die Zal und Namen der hier zusammengebrachten Praenumeranten auf Jacobsons Wörterbuch sollen Sie nächstens wißen. Ich warte nur noch eine Antwort aus Libau ab. Bestellen Sie gütigst die Einlage! dh P. Bernoulli weiß, wo h Goerz logiret. Ich bin aufrichtigst

Ihr ergebenster Freund und Diener   Ferber.

Allgemeine
deutsche
Bibliothek.

Des achtzigsten Bandes
erstes Stück.

Mit Röm. Kaiserl. Königl. Preußischen, Churpfälzischen und Chur-
brandenburgischen allergnäd. Freyheiten.

Berlin und Stettin,
verlegts Friedrich Nicolai, 1788.

sein Versprechen. Möglich werde ich die Ehre haben Ewr
HochEdlen von allem umständlicher Anzeige zu geben: denn
in künfftiger Woche dencke ich meiner Gesundheit halber
von hier abzugehen um auswärtige Brunnen zu gebrauchen,
und nehme meinen Weg über Berlin.
Beharre in aller Hochachtung
                        Ewr HochEdlen
Mitau
d 8ten Mart.   ergebenster Diener
  1781   Bolner"

Das Mißtrauen Bolners gegenüber der Zahlungsbereitschaft
des russischen Ministers von Krüdener war begründet. Nach
seiner Rückkehr berichtete er an Friedrich Nicolai:

"HochEdelgebohrner Herr,
besonders HochzuEhrender Herr!
Ich bin Ewr HochEdelgeb. schon seit meiner am 4ten Decbr.
erfolgt. retour von den Bädern eine Nachricht von dem
hier befindlichen Herrn Ministre v.Krüdner schuldig. Allein wahr u gewiß ist es mir bisher schlechterdings ohn-
möglich gewesen die Pflicht zu erfüllen. In Berl. hatte
ich das Vergnügen denenselben mündl. zu hinterbringen daß
dHr Ministre mir endl. die Zahlung auf dero Anweisung versichert und dazu Terminen aufgesetzet habe. Nun hatte ich
bey meiner Ausreise bestellt, daß dieser Termin genau beobachtet u dHr Ministre um die Zahlung gebeten werde. Dieß
ist auch gesch. Allein dHr Ministre hat gerade zu geläug-
net eine Anweisung für mich acceptiret u Zahlung versichert
zu hab: u hat die gantze Forderung an Seinen Schwieger
Vater in Riga verwiesen. Nachdem er sich aber hernach von
seiner Gemahlin separiret, so wird dieser auch wohl nichts
zahlen. Ich bedaure also, daß ich Ewr HochEdelgeb. hierin
nicht nützl. werd. kan.
Mitau
Jan.
1782

Theodor Ludwig GERZYMSKY, geb. 1752, gest. nach 1790, hat-
te studiert und wurde dann Buchhändler. Seine Mutter Maria
Gottlieb geb. Neander war Erzieherin der Prinzessin in
Würzau. Damit weisen die familiären Beziehungen und die
Tätigkeit der Mutter in die Umgebung Elisas von der Recke.

Mitau d. 8^n April 1781.

Ich habe ihren lezten, am 30sten Januar (soll wohl Februar heißen) datir-
ten Brief nebst Herwigs Beschr. des Eisenschmelzens und Cancrinus VII.
3. durch dh v. Grothuß erst vor 8 Tage erhalten; folglich können Sie, liebster Freund, mir auch diesmal nicht die späte Antwort beimeßen. Hiebei
übersende ich Ihnen meine Recension über Klipsteins Briefwechsel IV Stück.
Die von Herwigs piéce und von Arenswalds Mineral. so wie auch über d. Beobacht. in den Gebürgen um Königshain, werden kürzer gerathen und bald
nachfolgen. Cancrinus aber laßen Sie diesmal von einem Mathematiker recensiren, der sich mehr auf den Maschinenbau versteht als ich. Ich könnte
es zwar thun, und würde vielleicht über Bergmaschinen einigermaßen zu
urtheilen im Stande seyn, mag aber nicht gerne etwas über mich nehmen,
dem ich nicht völlig gewachsen bin. Ich schicke Ihnen also Cancrinus mit
der ersten Gelegenheit zurück. Die Beobachtungen über Königshain notiren
Sie auf meine Rechnung. Ich werde sie behalten. Herwig habe ich jezt schon;
soll also auch zurückfolgen.

Ich muß Ihnen melden, daß ich gleich nach Ostern eine Reise nach Warschau
auf ein paar Monathe machen werde. Das Nähere davon melde ich Ihnen
nächstens. Unterdeßen behalten Sie diese Nachricht für Sich. Von der Ostermeße werde ich also wohl vor diesmal nicht viel recensiren können; Es sey
denn, daß es bis zu meiner Zurückkunft nach Mitau Zeit hat, wie ich wohl
glaube. Addressiren Sie ihren nächsten Brief an mich nach Warschau unter
couvert an h Friedrich Cabrit, Banquier daselbst, oder auch an h Gröll und
laßen Sie ihn durch dh Gröll bei Cabrit abgeben.

Wie viele praenumeranten auf Jacobsons technol. Wörterbuch ich hier mit
aller Mühe habe auftreiben können und ihr Namen etc. sollen Sie am Fuße
dieses Briefes verzeichnet finden. Hoffentlich haben Sie jezt schon die sieben Dukaten praenumerationsgelder, die ich Ihnen durch den h Rath Voigt
am 17^n Februar übersannte, wohl erhalten. Sie haben dem unten folgenden
Verzeichniße gemäß jezt noch 2 # zu fordern. Diese werde ich Ihnen entweder gelegentl. in natura übersenden, oder Sie können mir sie auch in
Rechnung bringen; weil es eine Kleinigkeit ist. Alles, was Sie mir in meiner
Abwesenheit hieher nach Mitau schicken wollen, wird in meinem Hause in
Empfang genommen und bis zu meiner Zurückkunft sicher aufbehalten werden.
Da ihr Brief u das darin gewesene Avertissement für die Zeitungen, wegen
der Einsendung der Namen der Praenumeranten, weit nach der Mitte des
Märzmonaths angekommen, so lohnt es um so weniger die Kosten des Ein-
rückens in den Zeitungen, als schon eben die Periode vorher aus der Berliner Zeitung in der unsrigen Plaz gefunden hat, und so viel ich weiß, wohl niemand außer mir hier im Lande praenumeranten gesammlet hat. Ich habe Ihnen schon vormals geschrieben, wie schwer es mit dergl. subscribtionen

Beobachtungen über das Gebirge bei Königshain
in der Oberlausitz. Dresden bei Walther 1780.
gr.4. 71 Seiten mit 2 Kupfertafeln.

Verfasser ist Karl Gottlob Adolf von SCHACHMANN, Herr auf
Königshain in der Lausitz.

Franz Ludwig CANCRINUS: Erste Gründe der Berg-
und Salzwerkskunde. 12 Bände. Frankfurt a.M., An-
dräische Buchhandlung, 1771-1790.

Genaueste Beschreibung des in der Herrschaft
Schmalkalden üblichen Eisenschmelzens und Schmie-
dens nebst einer vorzüglichen Anleitung zum Stahl-
machen, entworfen und mit einer Nachricht über die
Blecharbeit im Hennebergischen vermehrt von Engel-
hard HERWIG, Hochfürstl.Hessischen Hütten-Inspektor.
Biedenkopf, bey Zickler, 1780. 8 1/2 Bogen. 1 Kupfer.

P.E. KLIPSTEINS mineralogische Briefe. IV. St. Gie-
ßen, in der Kriegerischen Buchhandlung 1780. 8.

Galanterie-Mineralogie und Vorschläge zur Natur-
wissenschaft für die Damen, in sieben Unterhaltun-
gen abgefaßt von C.F. ARENSWALD. Halle, bey Gebau-
er 1780, 8. 152 Seiten.

Friedrich KABRIT gehörte zu den großen "Wechselern und
Kaufleuten" in Warschau, die sich in Abhängigkeit von dem
Bankhaus Tepper befanden. 1793 ging sein Geschäft mit je-
nem zusammen zugrunde.

Michael GRÖLL, geb. 1722 in Dresden (oder Nürnberg), gest.
1798 in Warschau, hatte in Dresden eine Buchhandlung und
Druckerei und ließ sich 1759 in Warschau als Buchhändler
nieder. Neben diesem Geschäft und seinem Verlag, in dem
Bücher und Periodika in deutscher, polnischer und latei-
nischer Sprache erschienen, bot er auch andere Waren feil,
betätigte sich als Auktionator und unterhielt eine Art
Nachrichtenbörse.
(Hans Schmidt II: Michael Gröll (1722-1798). In: Lück/
Kauder: Deutsch-polnische Nachbarschaft. Würzburg 1957)

Hermann Friedrich VOIGT, geb. 1732 in Libau, gest. 1782
in Mitau, war kurländischer Finanzrat und Rentmeister.
Sein Sohn besuchte die Academia Petrina, wo Ferber sein
Lehrer war, seine Tochter heiratete Gotthard Friedrich
Christian Huhn, den Sohn des Generalsuperintendenten, des-

hier hält. Wenn man nicht seine Freunde dann und wann dazu überreden kann, so ist hier alles vergebens.

H^n Hofgerichtsaduokat Bollner werden Sie nun wohl schon gesprochen haben oder bald sprechen, da er schon über 14 Tage weg ist. Ich gab ihm einen adreßbrief an Ihnen mit. Vermuthlich hat er ihren Brief vor seiner Abreiße, mit den Einlagen an Hinz u Krüdner, erhalten, es sey denn, daß h von Grothuß ihn mitbrachte. Alsdann hat Bollner ihn nicht erhalten; weil er bei seiner Ankunft schon fort war.

Einen Ruf nach einer preuß. Universität würde ich wohl annehmen, wenn der Gehalt nicht zu schlecht wäre. Sie wißen von Alters her schon wie ich hier stehe. Melden Sie mir, was man mir dort wohl geben würde. Viel kann ich nicht verlieren, und will man seinen Zuhörern wirkl. nüzlich werden, so laßen sich keine Tagewerke bei Collegienlesen verrichten, und das ist doch der Schlenterjahn bei d. Universitäten, bringt zuweilen etwas ein; ist aber auch ein saurer Verdienst. Ich verwerfe dennoch nichts, was mich, ohne Schaden, in Absicht der Litteratur u deßen Hülfsmitteln beßer situiren könnte.

Leben Sie recht wohl. Ich bin ohnabläßig

der Ihrige

Ferber.

Praenumeranten auf Jacobsons hochteutsch. Wörterbuch:

1) Georg friedrich von Fölkersahm auf beide Theile 2#
2) Hofgerichtsaduokat Andreä 2#
3) Hr. von Klopmann aus Schorstädten auf den 1 Theil 1#
4) Hofrath u Dr Lieb, Medicus, 1
5) Hr von Ganskau. 1
6) Hr. Secretaire Bienemann in Libau 1
7) Hr Hofgerichtsaduokat Petsch in Mitau 1

Notisl. No 180 – 187. 187 Köber gratis Summa 9#
Zahen ab die bereits übersandten 7
bleiben Rest 2#

P.S. Einer meiner hiesigen Freunde bittet mich, ihm die abramsonsche Medaille über Leßing zu verschaffen. Haben Sie die Güte sie einzukaufen und unter meiner addresse gelegentlich hieher zu schicken.

sen Schwiegersohn der Freund und Kollege Ferbers, Beseke,
war.
*(Wilh.Räder: Die Juristen Kurlands im 18.Jahrhundert,
Posen 1942)*

*Voigt übergab das überaus herzliche Empfehlungsschreiben
am 28.März 1781:*
                                    Mitau d. 17 Februar 1781.
"Mein theurester Freund,
Der Fürstl.Rath und Rentmeister Herr Voigt wird Ihnen die-
se Zeilen und 7 Dukaten praenumerationsgelder /: wovon Sie
mit der Post weitere Nachricht und die Namen der praenume-
ranten erhalten sollen :/ überbringen. Diesen liebenswür-
digen Mann, der einer meiner besten hiesigen Freunde ist,
empfehle ich Ihnen recht sehr, und bitte Sie, Ihm die Ge-
legenheit: die dortigen Merkwürdigkeiten zu sehen und die
Bekanntschaft der vorzüglichsten Gelehrten zu erlangen,
gütigst zu verschaffen. Ich diene Ihnen gerne auf alle
Art wider, und bin von Herzen
                              der ihrige
                              Ferber."

George Friedrich von FÖLKERSAHM, geb. 1766 in Steinensee,
gest. 1848 in Riga. Nach dem Studium in Mitau und Göttin-
gen war Fölkersahm kurländischer Ritterschaftssekretär und
einer der sechs Delegierten des kurländischen Adels, wel-
che den Unterwerfungsakt in St.Petersburg vollzogen, 1809
Rat der kurländischen Gouvernementsregierung, schließlich
Zivilgouverneur von Livland. 1781 war Fölkersahm Student
an der Academia Petrina. Es ist allerdings erstaunlich,
daß er mit 15 Jahren das "Technologische Wörterbuch" prä-
numeriert haben soll. Es liegt vielleicht eine Namens-
gleichheit oder ein Schreibfehler vor, und es handelt sich
um seinen Vater Gotthard Friedrich. In der gedruckten Sub-
skriptionsliste stehen nur die Initialen G.F.

Jakob ANDREAE, geb. 1731 in Kauen, gest. 1814 in Mitau,
war einer der angesehenen Juristen in Mitau, der u.a. auch
Elisa von der Recke beriet, als sie sich von ihrem Mann
scheiden ließ. Außerdem war er der Onkel von Wilhelm Fried-
rich Schiemann, von dem in Brief 38 die Rede ist.
(Lit.: Wilh.Räder: Die Juristen Kurlands im 18.Jahrhundert.
Posen 1942)

Karl Friedrich von KLOPMANN, Erbherr auf Schorstädt. Sein
Sohn Johann Adam Wilhelm war Schüler Ferbers.

Johann Friedrich Wilhelm LIEB, geb. 1730 in Lichtenberg (Oberfranken), gest. 1807 in Mitau, studierte in Rostock Medizin, war in Kurland Hofmeister und Landarzt, dann sehr angesehener praktischer Arzt in Mitau. 1773 Hofrat; er stand Elisa von der Recke nahe und begleitete als Leibarzt der Herzogin Dorothea die herzogliche Familie auf ihren Reisen.
(DbBL, S.450)

Wahrscheinlich Ulrich Wilhelm Moritz von GANSKAU (Gantz-kauw), Erbherr auf Grafenthal in Kurland, geb. 1754 in Grafenthal, gest. 1815 in Mitau. Er studierte in Leipzig und kehrte dann nach Kurland zurück, wo er seinen Neigungen lebte. Er tritt übrigens auch als Verfasser deutscher und lettischer kleiner Schriften hervor.
(RN Bd.2, S.9)

Christoph Ludwig TETSCH, geb. 1735 in Libau, gest. 1793 in Mitau, studierte in Königsberg, Leipzig und Jena und war von 1764 an Hofgerichts-Advokat in Mitau. Er gilt als feinsinniger Kunstkenner und hervorragender Stilist, was sich vor allem in seinem umfangreichen Briefwechsel äußert. Seine Beziehungen zur Berliner Aufklärung drücken sich in der Publikation eines seiner Briefe in Bd.22 der Berlinischen Monatsschrift aus. Auch er stand Elisa von der Recke nahe und war mit dem Hofrat Schwander, einer der profilierten Persönlichkeiten am Hofe Peter Birons, befreundet.
(DbBL S.789)

Medaille von Georgi auf die Einweihung der Academia Petrina zu Mitau 1775
(Sammlung Hans v. Hoerner)

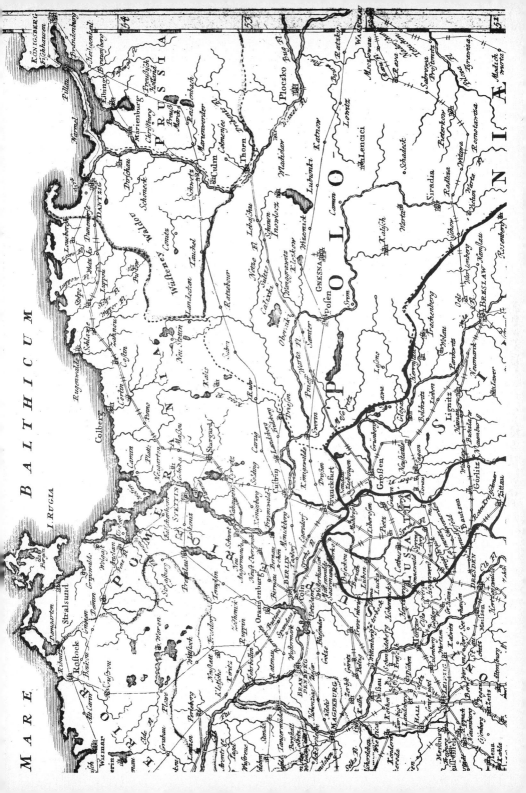

Brief 31   ab: 30.9.81   an: 8.10.81   beantw.: 11.12.81

Hochwohlehrwürdiger, hochgelehrter Herr Pastor,

Es ist mir überaus angenehm, durch die Vermittelung des Herrn Nicolai
die Ehre Ihrer schäzbahren Bekanntschafft zu erhalten; nur thut es mir
leid, daß ich diesen Brief gleich mit Entschuldigungen wegen einer, doch
nur scheinbahren Saumseligkeit, bei Einsendung der mir aufgetragenen Recensionen für d. allg.d.Bibliothek anfangen muß. Seit Ostern bin ich nicht
hier in Mitau, sondern den ganzen Sommer in Pohlen gewesen, wo ich auf
Befehl des Königs gewiße mineralog: Untersuchungen angestellt habe. Vor
einigen Wochen bin ich erst wider nach Hause gekommen. Das gedruckte
Schreiben vom 15 Juni erhielte ich nicht weit von der schlesischen Gränze
österr: Antheils, und konnte damals theils wegen andrer Beschäftigungen,
theils wegen des Innhalts nicht gleich darauf antworten. So bald ich in Mitau wider zurückkam, muste ich erst an h Hartknoch in Riga schreiben, um
von ihm die Bücher zu verlangen, deren Recension mir aufgetragen war.
Vor 8 Tage schickte er mir so viele, als er in seinem Laden hatte, und sogleich fung ich an sie durchzulesen. Ich übersende hiebei 3 Recensionen.
Die vierte, über den 2ten Theil der Oryctograph: Carniol: ist auch schon
fertig; muß aber der nothwendigen größern Weitläuftigkeit wegen erst rein
geschrieben werden, und soll zugleich mit den Recensionen über die Beobacht. der Gebirge um Königshayn und Perrets Abhandl. vom Stahl nachfolgen. Die Recens. über Klipsteins min: Briefwechsel I.4. hat Hr Nicolai noch
vor seiner Abreise aus Berlin von mir erhalten; folglich bleibt nichts übrig
als:
    Peithners Vers. d. mähr: u. böhm: Bergwerke
    Vom Regenbogenagat, und
    Werth, der verkannte des sächs: Bergbaus.
Diese 3 Bücher kann ich hier nicht auftreiben. Die Nicolaische Buchhandl.
muß sie mir also mit den Büchern der Mich:Meße, die ich recensiren soll,
zusenden. Überhaupt werde ich niemals säumen, die mir aufgetragenen Recensionen schnell anzufertigen und einzusenden, wenn ich nur von Berlin aus,
durch die Nic:Buchhandlung dazu in Stand gesezt werde. Ich lebe hier in einem entfernten Orte, wo ich bei allen meinen litterarischen Untersuchungen
mit vielen Schwierigkeiten zu kämpfen habe. Der hiesige Buchladen ist ganz
in Verfall und hat keine neue Bücher mehr. h Hartknoch in Riga erhält die
seinigen so spät, daß vielleicht die Bücher der Mich:Meße erst im Frühjahr
ankommen, und alsdann hat er von mineralog: Sachen jedesmal nur wenige,
bei weitem nicht alle Werke, so daß man gar nicht mit Gewißheit auf ihn darin rechnen kann. Mit dem Absenden der fertig gewordenen Recensionen von
hier nach Berlin hat es ebenfalls große Schwierigkeiten; da von hier nach
Memel keine fahrende Post geht. Ich habe alles dieses unserm Freunde h Nicolai schon längst vorgestellt; bis jezt aber sind die Schwierigkeiten nicht
gemindert worden. Meine zu der Absicht gemachten Vorschläge will ich hier
widerhol·· und, wo möglich, bitten, daß sie befolgt werden.

Der Empfänger dieses Briefes:
Friedrich Germanus LÜDKE, geb.173o in Stendal, gest. 1792
in Berlin, wirkte als Prediger an der Berliner Nikolaikir-
che, unterstützte Nicolai zeitweise bei der Herausgabe der
"Allgemeinen deutschen Bibliothek" und verfaßte zahlrei-
che Rezensionen für die A.d.B. und verfaßte u.a. die Schrift
"Über Toleranz und Gewissensfreiheit" (Berlin, Mylius 1774),
in der er die Gedanken der Berliner Aufklärung vertrat.
Ebenso wie mit Nicolai war er auch mit Spalding befreundet.

Herrn PERRET's Abhandlung vom Stahl, dessen Be-
schaffenheit, Verarbeitung und Gebrauch. Eine ge-
krönte Preisschrift. Aus dem Französischen über-
setzt. Mit 1 Kupfertafel. Dresden, bey Walther,
1780. in 8. 164 Seiten.

Johann Thaddäus Anthon PEITHNERs, Edlen von Lich-
tenfels, k.k.Hofraths etc. Versuch über die na-
türliche und politische Geschichte der Böhmischen
und mährischen Bergwerke. Wien bey Schmidt 1780.
2 Theile in Folio. 464 Seiten, mit vielen Vignet-
ten, die zum Theil Medaillen vorstellen, und ei-
nen Grundriß der Berggegend zwischen Deutschbrod
und Iglau.

Vom Regenbogenachat, den der Verfasser dieses
Briefes zuerst an die Pariser Akademie, in einer
ihrer ordentlichen Versammlungen des Jahres 1777
persönlich bekannt gemacht hat, an Hrn. C.E. Pabst
von Ohayn, nebst einer ausgemahlten Kupfertafel.
Hamburg, bey Reuß, 23 Seiten in 4.

Der verkannte Werth des Sächsischen Bergbaus und
desselben gute Sache.
Leipzig bey Crusius. 1781. gr.8. 80 Seiten.

1) Alle Bücher, die ich recensiren soll /: ich wäre allenfalls erböthig mehrere Recensionen, als mir bisher aufgetragen worden, zu übernehmen :/
müsten mir von Berlin aus franco zugesannt werden. Dies könnte entweder
mit der fahrenden Post geschehen, wenn h Nicolai in Königsberg einen Commissionaire hätte, der sie da mit dem preußischen Fuhrmann bis Mitau
schickte und an ihn vorher die Fracht und polangischen Zoll bezalte; oder
auch durch h Hartknoch, wenn ihm Theile der allgem:Bibll. zugesannt werden. Nur müste dies so bald möglich nach jeder Meße geschehen; sonst
erhalte ich sie so spät, wie bisher.

2) Die Bücher, die ich von den mir zugesannten behielte, würden wie bisher, auf meine Rechnung geschrieben; die übrigen aber würde ich versiegelt an h Hartknoch senden, mit welchem wegen der Zurücksendung nach
Berlin die nöthige Verabredung zu treffen wäre.

3) In Memel müste h Nicolai mir jemand anweisen, an den ich mein Ms^t
der Recensionen jedesmal schicken könnte, damit er es weiter nach Berlin
besorgte. Es versteht sich aber alsdenn, daß es mir erlaubt werden müste,
meine Auslage für porto von hier bis Memel, mit der reitenden Post, zu notiren und in Rechnung zu bringen; weil ich sonst diese Auslage aus meinem
Beutel bezalen müste. Würden diese 3 Punkte gehörig regulirt und mit Genauigkeit und Geschwindigkeit beobachtet werden, so würde man keine Ursache haben sich über meine Nachläßigkeit zu beschweren. So wie es aber bis
jezt gegangen ist, so habe ich nicht nur jedesmal allerlei kleine Ausgaben
für Fracht von Riga und zurück u.s.w. aus meinem Beutel zu bestreiten gehabt; sondern ich erhalte auch die Anzeige der zu recensirenden Bücher und
die Bücher selbst so spät /:und die leztern nicht alle:/ daß ich um fertig zu
werden, alle meine übrige Arbeiten eine Zeit lang liegen laßen muß und mich
nur mit Recensiren beschäftigen kann. Bin ich endlich fertig, so muß ich eine,
hier selten vorfallende Gelegenheit erwarten, das Ms^t mit einem Reisenden
nach Berlin zu schicken, wenn es für einen oder mehrere Briefe zu schwer
ist. Ja soll ich es auf alle Fälle mit der Post senden können, so bin ich genöthiget, wenn es /:wie ofte gar nicht zu vermeiden ist, im Falle man gründ-
lich recensiren will :/ erst für mein Geld rein schreiben laßen, welches man
mir auch nicht zumuthen kann. Wäre aber einmal ein gehöriges arrangement
des 3^n Punkts getroffen, so könnte ich mein Concept, so wie es wäre, absenden. Ich ersuche nun Ew.Hochwohlehrwürden alles dieses zu überlegen, und
mit der Nicol.Buchhandl: gütigst solche Verabredungen zu treffen, wodurch
ich im Stande gesezt werde, der allgem:d.Bibliothek nüzlich zu seyn. An h Nicolai bitte ich um meine beste Empfehlung und Freundschaftsversicherung!
Wo ist Er jezt? Wie bald kömmt er zurück?

Mit aller Hochachtung verharre
Ewr.Hochwohlehrwürden

ergebenster Diener

Mitau d.lezten September 1781   J.J. Ferber

P.S. Da mir unterm 12 März keine <u>neue Zeichen</u> mitgetheilt worden, so erwarte ich sie mit nächstem und ersuche die jezt beifolgende 3 Recensionen selbst zu unterzeichnen.

Brief 32   ab: 4.11.81   an: 13.11.81   beantw.: 11.12.81

Mitau d 4.Nouember 1781.

HochEhrwürdiger, hochgelahrter Herr Pastor,
hochzuehrender Herr,

Ich berufe mich in allen Stücken auf mein leztes Schreiben vom 30sten September und habe die Ehre beifolgende Recension, die nicht kürzer gerathen konnte, in Ermangelung andrer Gelegenheit mit der Post franco zu übersenden, bis Hr.Nicolai mir andre Mittel an die Hand giebt, wie ich sehr wünsche. Da ich um neue Zeichen schon lezt gebeten habe, so ersuche ich diese Recension selbst für mich zu unterzeichnen. Zugleich bitte ich beifolgendes avertissement in d. allg.Bibl. bekannt zu machen u. so viel möglich kund zu machen oder auszubreiten, im gleichen in der Nicol.Buchhandlung gütigst zu veranstalten, daß auf das darin angezeigte werk Praenumeranten gesammlet werden. Ich schließe auch einen Brief an h Nicolai hiebei, den Sie die güte haben wollen, Ihm so bald möglich zusenden zu laßen; weil er nicht die Handlung betrifft. In Erwartung dero gütiger Antwort verharre mit der vollkommensten Hochachtung

Ewr HochEhrwürden
ergebenster D^r

J.J. Ferber

Mitau d. 4 Novemb. 1781.

Mein hochgeschäzter, lieber Freund,

unser Briefwechsel hat durch unsre beiderseitige Reisen diesen Sommer
großen Abbruch gelitten. Ich bin seit d. Ende d. August aus Pohlen zurück,
und Sie werden hoffentl. nun bald wider nach Berlin kommen. Von Herzen
wünsche ich, daß ihre Reise glücklich und froh gewesen seyn mag! Mir
ist's recht gut gegangen. Ich habe die schönste und bequemste Gelegenheit
gehabt recht artige mineral. Beobachtungen anzustellen und bin von dem vortrefl. menschenfreundl. König mit ausnehmender Gnade beehrt und belohnt
worden. Alles hatte ich frey: Wohnung, Kost, Bedienung, Karoße, Reisen
u.s.w. Sehr oft habe ich mit dem König gespeißt und bin mit Ihm in seinem
eigenen Wagen aufs Land gefahren. Meine tour war sehr weitläuftig in Ma-
suren, im Sendomirischen, Crakauischen, Tentschinischen, längst den
schles:Gränzen. Zulezt erhielte ich ein überaus gnädiges Handschreiben von
S.M., Geld zur Rückreise, die Medaille: Merentibus, einen sehr prächtigen
brillantenen Ring und 500# zum Geschenk. - Nachdem ich zurück bin, habe
ich unter andern die Recensionen für d. a.d.Bibl. fertig gemacht. Nur einige sind rückständig; weil ich die Bücher nicht habe. Mit h Hartknochs Hülfe
in dieser Sache ist's gar nichts. Er hat nur wenige Bücher dieser Art u erhält sie sehr spät. Ich arbeite mit Vergnügen an d. Bibl. und rechne mir ihre Aufforderung zu einer für d. Wißenschaften so nüzl. Arbeit zur Ehre. Allein ich muß Sie bitten, die mir dabei in Absicht der Bücher u des Transports der Recens. etc. aufstoßende Schwierigkeiten, so viel möglich, zu erleichtern. Ich habe an dh Pastor Lüdke ausführl. davon geschrieben. Werde
ich hierin geholfen, so will ich noch mehr Recensionen an der Zal, als bis
jezt, übernehmen. Von der M.M. ist mir bis dato nichts aufgetragen. -
Noch habe ich Sie zu bitten einliegendes avertissement wo Sie können bekannt
zu machen und meine darin gemeldete unternehmung aufs thätigste zu befördern. Ich diene Ihnen gerne wider und bin mit den aufrichtigsten Gesinnungen
der Freundschaft

Ihr

ergebenster D^r

J.J. Ferber

Den Bericht Ferbers über seine REISE DURCH POLEN gab Johann Carl Wilhelm VOIGT, Herzoglich Sachs.Weimarischer Bergrat, postum unter folgendem Titel heraus:

Johann Jacob Ferbers, Königl.Preuß.Oberbergraths und ordentl.Mitglieds der Academie der Wissenschaften etc. Relation von der ihm aufgetragenen mineralogischen berg- und hüttenmännischen Reise durch einige polnische Provinzen. Arnstadt und Rudolstadt, bey Langbein und Klüger, 18o4.

Der Herausgeber schreibt über den Zweck dieser Reise folgendes:
"Ferber war noch Professor der Naturgeschichte und Physik in Mietau, als er von dem letzten Könige in Polen besonders in der Absicht nach Warschau berufen wurde, um Punkte anzugeben, wo das Wielitzker Steinsalzflötz, welches durch die kaiserliche Okkupationen von den königlichen Besitzungen getrennt worden war, diesseits der Weichsel neu auszurichten seyn möchte. Außerdem scheint er auch noch besonders auf die Wiederaufnahme der verfallenen reichen Bergwerke zu Olkusz instruirt gewesen zu seyn, daher man über diese beyden Gegenstände, so wie über die Versuche auf Soole und Steinsalz, in der Gegend von Busko, die meisten Aufschlüsse findet." (S.4 f.)

Der Bericht enthält eine Aufnahme der geologischen Beschaffenheit des Landes in besonderer Hinsicht auf die Auswertung durch den Bergbau sowie Vorschläge für Maßnahmen, Organisation und wahrscheinliche Rentabilität noch bestehender oder erst neu zu gründender Unternehmen.

Der Text des AVERTISSEMENTS, um dessen Aufnahme Ferber bittet und der in der "Allgemeinen deutschen Bibliothek" Bd.48, 1781, S.619 erschien, lautet:
"Herr Prof.Ferber zu Mietau wird ein von dem Hrn.Tobern Bergmann, Professor der Chemie zu Upsal, in lateinischer Sprache ausgearbeitetes mineralogisches System mit dessen Genehmhaltung, unter dem Titel: Sciagraphia regni mineralis secundum principia proxima digesti auf Pränumeration herausgeben."

Brief 34   ab: 14.2.82   an: 21.2.82   beantw.: ?

Mitau d.14.Februar 1782.

Ich habe von Ihnen, mein theurester Freund, 2 Briefe zu beantworten.
Der lezte, nebst den Büchern u die leßingsche Medaille kamen erst vor-
gestern, d 12 Febr:, aus Königsberg hier an, wovon ich die Ursache nicht
errathe. Der Frachtbrief war d 1 Januar datirt; das ist aber augenschein-
lich ein Schreibfehler des h Jacobi in Königsberg und soll d 1 Februar heißen; denn vom 29n December, (das Datum ihres Briefes) bis zum 1 Jan.
kann keine fahrende Post von Berlin in Königsberg anlangen. Da h Jacobi,
der mir für d.Bücher 1/2 rTh Alb:unkosten anrechnet, mit dem Fuhrmann
keinen accord gemacht, so forderte dieser Mensch eine so unbillige Fracht
und polang. Zoll, daß ich ihm es nicht bezalen konnte oder wollte, sondern
ihn an h Jacobi deswegen zurückwies. Für ein so kleines Päckchen Bücher
kann unmöglich der transport von Berlin hieher 1 # kosten, und doch war
die Forderung ungefär so. Es würden Ihnen, mein Bester, theure Recensionen werden, wenn Sie den Büchertransport hieher in der Art bezalen
sollten. Ich habe heute unmöglich Zeit Ihnen mehr zu schreiben; werde es
aber in wenigen Posttagen gewiß und weitläuftig thun. Unterdeßen übersende
ich Ihnen hiebei eine Recension, und durch h Bernoulli den Dukaten für die
leßingsche Medaille. Die paar Recensionen, die ich Ihnen noch rückständig
bin, übersende ich Ihnen entweder gelegentlich in Briefen oder durch h Hartknoch, wenn er zur Meße reißt. Ich bin unveränderlich

Ihr
aufrichtig ergebener
Freund und Diener

Ferber.

P.S. Brünnicks Mineral. hatte ich von Georgi, der sie übersezt hat, ge-
schenckt bekommen und schon recensirt. Da meine Recens. aber nicht nöthig ist, weil Sie schon eine andre erhalten, so habe ich sie zerrissen.

Kommentar zu Brief 34

Martin Thrane Brünnich Mineralogie. Aus dem
Dänischen übersetzt, mit Zusätzen des Verfassers und einer Anzeige der bisher bekannten
Rußischen Mineralien vermehrt. St.Petersburg
und Leipzig, bey Joh.Zach.Logan, 1781

*Das Königsberger Handelshaus und Bankgeschäft Jacobi
wurde von Johann Konrad JACOBI, geb. 1717 in Frankfurt/M.,
gest. 1774 in Königsberg, gegründet. 1755 wurde er Kommerzienrat. Das Haus von Jacobi war ein Mittelpunkt des
geistigen Lebens in Königsberg. Hier verkehrten Hippel,
Kant, Hamann und viele andere Persönlichkeiten. Da die
Ehe von Jacobi kinderlos blieb, ließ er seinen Neffen
Friedrich Konrad Jacobi aus Frankfurt kommen, nahm ihn an
Kindesstatt an und machte ihn zu seinem Erben. Dieser führte das gesellige Leben seines Onkels fort.
(AB, S.295 f.)*

*Johann Gottlieb GEORGI, geb. 1729 auf Gut Wachholzhagen,
Kr.Greifenberg (Pommern), gest. 1802 in St.Petersburg,
studierte in Schweden u.a. bei Johann Heinrich Ferber,
dem Vater Johann Jacob Ferbers, Chemie und bei Linné Naturwissenschaften und war seit 1770 in St.Petersburg an
der Akademie der Wissenschaften tätig. 1783 wurde er zum
ordentlichen Mitglied der Akademie ernannt und erhielt
eine Professur für Chemie. Es war dasselbe Jahr, in dem
auch Ferber nach Petersburg berufen wurde.
(Olaf Hein in NDB, Bd.6, S.242 f.)*

Mitau d 3. März 1782.

Ich bin Ihnen, mein wehrtester Freund, auf 3 ihre angenehme Zuschriften
vom 11.Dec., 29 Dec. und 16 Febr. Antwort schuldig, weil ich am 14ten
Febr: unter h Bernoulli couvert nur wenig an Ihnen schreiben konnte. Unterdeßen werden Sie wohl von ihm den gedachten Brief, nebst 1 # für die
erhaltene leßingsche Medaille bekommen haben. Daß Sie ihre Reise durch
einen ansehnl. Theil von Deutschland gesund und vergnügt zurückgelegt haben, ist mir ungemein lieb. Freilich wäre ich gerne mit Ihnen in diesen
angenehmen Gegenden herumgereißt, und hätte dabei lange nicht so viel
Beschwerlichkeiten gehabt, als in dem wüsten Pohlen, ohnerachtet aller
Gnade und Fürsorge, die der liebenswürdige König für mich tragen lies.
Allein Sie sagen, daß Sie alsdenn mich würden kennen gelernt haben, und
zeigen dadurch, daß Sie Sich meiner nicht von der Zeit an erinnern, da ich
im Jahr 1773, wenn ich nicht irre, das Vergnügen genoß, Sie in Berlin zu
besuchen, und noch dazu von Ihnen ein Empfehlungsschreiben nach Freyen-
walde erhielte. Komme ich noch einmal in meinem Leben nach Berlin, so
werde ich schon öffter die Ehre ihres Umganges genießen, als es wegen meines kurzen Aufenthalts vor einigen Jahren möglich war.

Für ihr gütiges Versprechen, die Sache wegen des transports der Bücher,
die ich künftig recensiren soll /: hieher und zurück :/ bis Ostern auf eine
oder andre Art zu reguliren, und für die Anzeige, wie ich Ihnen meine Recensionen nachher zusenden soll, danke ich verbindlichst. Die leztere ist
ganz gut und vortrefflich; nur versäumen Sie nicht mit dem Postamt in Memel es abzumachen, daß selbiges Ihnen die Recensionen nicht mit der reitenden, sondern mit der fahrenden Post zuschicke. Wenn Sie mir künftig die zu
recensirende Bücher über Königsberg durch einen Fuhrmann schicken wollen;
so ist es vorher nöthig mit ihrem Commissionaire h Jacobi abzumachen, daß
er die Fracht bis hieher mit Inbegriff des polangschen Zolls mit dem Fuhrmann vorher gehörig verabredet, und nicht so, wie lezt, es dem gutfinden
solcher ungeschliffener Leute überläßt, was sie fordern wollen, wenn sie hier
ankommen. Ich habe Ihnen schon lezt gemeldet, daß das kleine Paket, welches h Jacobi von Ihnen an mich zu bestellen empfangen, richtig angekommen;
daß aber der Fuhrmann so viel forderte, daß ich's nicht an ihn bezalen mögte,
sondern ihn an h Jacobi zurückwies. Glauben Sie nicht, mein bester Freund,
daß ich mich entziehe für Ihnen eine Auslage zu machen, wenn sie auch noch
100 mal größer wäre. Ich bin Ihnen ohnehin noch weit mehr, als diese betrug,
schuldig; und es ist mir völlig einerlei, ob h Jacobi die Frachten vorher in
Königsberg bezalt, oder sie für ihre Rechnung auf mich assigniret, wenn er
sie nur bedingt. Allein, dazu habe ich Sie, mein wehrtester Freund, zu lieb,
und nehme zu vielen Antheil an den Fortgang der allg: d. Bibl. als daß ich
stillschweigend zusehen könnte, daß entweder der Königsbergische Spediteur,
oder die preuß. Fuhrleute Sie übersezen und unbillige Ausgaben verursachen

Folgende Abrechnung ist dem Brief beigelegt:
  "Auslagen für d. allg.d.Bibl.
1777 im Herbste für's Reinschreiben 19 Recens auf
    13 Bogen à 2 Sechser   Alb rTh 1 - 6 Sechser
1778 im Sommer für 2 Recens. auf
    1 1/2 Bogen   - " - 3   -
1779 im Herbste für Recensionen
    auf 9 1/4 Bogen   - " 18 1/2 -
Porto von Anfang unsers Briefwechsels bis
zum Anfang des Jahres 1781 habe ich nicht
notiret, und da derselbe ohnehin offt mei-
ne eigene Angelegenheiten betroffen hat,
so wird dafür nichts berechnet   - " -
Seit Anfang des Jahres 1781 bis inclus.
d 3 März 1782 habe ich 3 Briefe bis Memel
(à 3 Sechser) mit 9 Sechser und einen 3
loth schweren Brief an h Pastor Lüdke, Re-
censionen enthaltend, mit 1 rTh 4 Sechser
franquirt.Für den leztern rechne 4 Sechser
ab; weil er auch einige Blätter meines ge-
druckten avertissements enthielte;
bleiben   - 1 - 9
Von Anfang 1781 bis inclus.d 3 März 1782
habe ich für 2 Briefe von h Nicolai das
porto von Memel hieher bezalt   - " - 6
  dto für einen Brief d 11 Dec: datirt - " - 3
  dto   16 Febr: - mit Einlage
  an h Bollner   - " - 6
              Summa   Alb rTh 4 -12
macht nach gegenwärtigen Werth in Dukaten à 2 rTh 2 Sech-
ser - 2 # 14 gg oder Pr: C^t 6 rTh 14 gg "

Am 1.Mai 1781 begann Friedrich Nicolai zusammen mit sei-
nem Sohn seine große sieben Monate während REISE DURCH
DEUTSCHLAND UND DIE SCHWEIZ. Nach sorgfältigem Quellen-
studium veröffentlichte er seine

    Beschreibung einer Reise durch Deutschland und
    die Schweiz im Jahre 1781, nebst Bemerkungen
    über Gelehrsamkeit, Industrie, Religion und Sitten.
    (12 Bde. 1783-1796)

Das Werk wurde ein großer Erfolg, trug ihm aber auch man-
che Feindschaft ein, weil er nicht mit Kritik zurückhielt.

sollen. Für ein so kleines Päckchen, als das lezte war, ist die Fracht von 7 hiesigen Gulden, woran nur 1 fl. um den # vollzumachen fehlet, von Königsberg bis Mitau zu viel; und da Sie wahrscheinlich dem h Jacobi das Päckchen franco Königsberg geschickt haben, so weiß ich nicht, warum er noch 1/2 rTh Alb. oder 2 hiesige Gulden Unkosten fordert, wie Sie aus seinem Frachtbrief ersehen können, den ich curiositatis gratia hier beischließe. So sehr Sie von meiner Rechtschaffenheit überzeugt sind; so hätte es Ihnen doch nachher natürlicher weiße befremden müßen, wenn Sie in meiner Rechnung künftig, eine so hohe Fracht, in Verhältniß der geringen Größe des Pakets, angesezt gefunden hätten; und nur deswegen und um für die Zukunft dh Jacobi eine Erinnerung zu geben, wies ich den Fuhrmann an ihn zurück. Er dürfte Ihnen vielleicht schreiben, daß man den Polanger Zoll in Königsberg nicht vorher bestimmen könne; allein das ist falsch. Man accordirt überhaupt mit dem Fuhrmann für Fracht und Zoll in eins. Alsdenn weiß er in Polangen schon seinen Vortheil wahrzunehmen und mit den Zöllnern wegen aller Güther, die er führt, überhaupt zu accordiren, und wird nie für jedes Stück den Zoll besonders bezalen. Hat aber der Königsbergische spediteur mit dem Fuhrmann nichts vorher bedungen, so fordert er hier Fracht und Zoll, wie es ihm einfält, wovon ich hier leider in den 7 Jahren, die ich hier lebe, mehr als 50 unangenehme Erfahrungen auf Kosten meines Beutels gemacht habe.

So oft mein Concept der Recensionen leserlich ist für den Sezer werde ich es nicht reinschreiben laßen, sondern es so wie es ist, schicken, um Ihnen diese Ausgabe zu ersparen. Übrigens danke ich Ihnen für die Erlaubniß diese Ausgabe und das Briefporto in Rechnung zu bringen. Ich werde allemal einen Unterschied machen, wenn unsre beiderseitigen Briefe das Recensionsgeschäfft betreffen und wenn der Innhalt etwa bloß meine Angelegenheiten betrifft, in welchem Falle das porto Ihnen nicht zur Last fallen muß. Meine bisherige Ausgaben für d. a.d.B. finden Sie beiliegend verzeichnet. Ich bin Ihnen noch die Prae/n/umeration für den 2^n Theil des technol. Wörterbuchs, welcher vielleicht schon heraus seyn wird, schuldig. Auch habe ich für das 87e Stück des Museum von dh Finanzrath Voigt, der sich Ihnen empfielt und sehr kränklich ist, 8 g. erhalten, für welche Sie mich debitiren wollen. Da Ostern vor der Thüre ist, erwarte ich ihre gewöhnliche Berechnung und werde sodann durch eine kleine assignation, wenn sonst keine Gelegenheit vorfällt, alles berichtigen.

Von den lezt zum Recensiren übersannten Büchern behalte ich <u>nur Hermanns</u> neusol. Schmelzprocess. Die übrigen Bücher schicke ich, nachdem sie recensirt sind, an h Hartknoch. Durch ihn oder einen andern zur Meße Reißenden sollen Sie alle Recens. die ich, ihrem Auftrage gemäß, noch rückständig bin, zur Ostermeße erhalten.

Für die Nachricht von den colligirten Praenumerationen auf Bergmans Mineral., durch dhh^{ren} Crell und Gmelin, und für die Bemühung, die Sie Sich ge-

Lorenz (von) CRELL, geb. 1744 in Braunschweig, gest. 1816 in Göttingen, war seit 1774 Professor in Helmstedt, seit 1780 Bergrat in Braunschweig und schließlich Professor in Göttingen. Crell schrieb medizinische und naturwissenschaftliche Abhandlungen. Seine wissenschaftshistorische Bedeutung liegt in der Herausgabe von chemischen Zeitschriften. Crell war Mitarbeiter der "Allgemeinen deutschen Bibliothek" und verfaßte viele Rezensionen. Auch spielte er eine Rolle in der Freimaurerbewegung und verfaßte einige entsprechende Schriften.

Johann Friedrich GMELIN, geb. 1748 in Tübingen, gest. 1804 in Göttingen, war seit 1772 Professor der Medizin und Chemie in Tübingen und seit 1775 in Göttingen. Besondere Verdienste erwarb er sich um die chemische Mineralogie und die Geschichte der Chemie. Gmelin gehört der bekannten, weitverzweigten schwäbischen Gelehrtenfamilie an. Er dürfte als Mitarbeiter der Göttingischen Anzeigen von gelehrten Sachen auch der Rezensent von Ferbers Schriften gewesen sein. Besonders dessen "Beyträge zur Mineralgeschichte verschiedener Länder" (Mitau 1778) (GA 1779, S.113 ff.) und die "Physikalisch-metallurgische Abhandlungen" (Berlin 1780) (GA 1780 S.955) werden in diesem Blatt sehr hoch eingeschätzt. Der Rezensent hebt in bezug auf das zweite Werk hervor, daß Ferber "zum Theil an Ort und Stelle selbst eingezogene, zum Theil noch ungenüzte Quellen" ausgeschöpft habe und man "den Wunsch kaum zurückhalten" könne, "daß ein Mann, wie der Verf., auch den noch nicht bearbeiteten Theil der Siebenbürgischen Mineralgeschichte auf eine ähnliche Weise, und die hier nur kurz berührte Oberungarische Mineralgeschichte ebenso ausführlich bearbeiten möchte". (S.957)

> Beschreibung des Silberschmelzprozesses zu Neusohl in Ungarn. Mit Beylagen. Zum Behufe der Anfänger und Reisenden. Herausgegeben von Benedict Franz HERMANN, Professor der Technologie. Wien, bey Kurzbeck. 1781. 8. 119 Seiten und ein Bogen Berechnungen über die Schmelzarbeiten enthaltend.

> Torbern BERGMANN: Sciagraphia regni mineralis. Leipzig, Müller 1782.
> (vgl. auch den Text des Avertissements, Brief 33)

Christian Friedrich KRULL, geb.1748, gest. 1787 in Braunschweig, war seit 1780 in Braunschweig Münzkommissar. "Die Stempel für Medaillen (bes. auf die Herzöge Karl und Leopold sowie auf Lessing) ... zeigen ihn als tüchtigen Meister, namentlich im Bildnis." (Lit.: P.J. Meier in Thieme/Becker: Allgemeines Lexikon der bildenden Künstler. Bd.22, Leipzig 1928, S.8)

ben wollen, mir in der O.M. mehrere zu verschaffen, danke ich verbind-lichst.

h Bollner erhielte seinen Brief f^{co} Melden Sie mir gütigst, wie viel jede der nachstehenden Medaillen die ein hiesiger Freund kaufen will, kosten. Ich sende Ihnen sodann mit einem nach der OM. reißenden Kaufmann von hieraus so gleich das Geld dazu. Derselbe wird auch die Medaillen mit sich hieher zurücknehmen können. Es sind 1) die Medaille von dem braunschweig. Medailleur Krull über Leßing, welche ohne Zweifel auch in Berlin zu haben seyn wird 2) die Abramsonsche Medaille auf Sulzer, Mendelson und Rammler.

Mit vielen Schmerzen und wahrer Theilnehmung las ich in ihrem lezten Brie-fe den ünglückl. Fall, wodurch Sie ihre Hand beschädiget haben. Der Himmel gebe Ihnen bald völlige Genesung und daß es keine weitere Folgen habe! – Kütner hat hier keinen Abdruck mehr vorräthig von Eulers Bild, weil er alle nach Leipzig etc. versannt hat. Indeßen soll er gelegentlich eins für Ihnen abziehen, wenn Sie nicht etwa schon aus Leipzig gekauft haben. Dies melden Sie mir. Mit Mitleiden und Verdruß zugleich habe ich den erbärmlichen Aus-fall des Diaconus Schröter, im 6sten Theile seines erbärmlichen Journals, gelesen, den er auf eine lächerliche Weise auf Ihnen und alle Mitarbeiter an der a.d.Bibl. wagt. Der Mann ist ein kläglicher Schmierer, voll thörichten Stolzes; verdiente aber doch ein wenig Züchtigung. Sie muß aber derb seyn, wenn er sie fühlen soll.

Das lezte, was ich von der allgem.d.Bibl. bekommen habe, war des 45sten Bandes 2tes und des 46sten B^{des} 1^{s} und 2^{s} Stück; aber was nachher heraus gekommen ist, imgleichen des 43sten B^{s} 2^{s}, der ganze 44ste Bd und des 45sten 1^{s} Stück fehlen mir.

Daß ich für meine Recensionen die alten Zeichen Gm und Hb, bis zum 52 Ban-de behalten soll, ist mir nicht ganz lieb; weil ich sie schon lange und offt ge-braucht habe. Gewiße Leute merken sich solche Zeichen und errathen den Re-censenten, wenn man der Wahrheit zu Liebe genöthiget ist, ihre Irrthümer zu entblößen; sie feinden einen nachher darüber an. Sollte es aber nicht ge-ändert werden können, so mag's dabei bleiben.

Leben Sie recht wohl, mein liebster Freund, und werden Sie bald vollkommen gesund! Mit den aufrichtigsten Gesinnungen wahrer Hochachtung und Freund-schaft bin und bleibe ich

Ihr

ergebenster Diener

Ferber.

Laut Randbemerkung kostet jede der drei Medaillen von Abramson 3 Rthl.

Abraham ABRAMSON, geb. 1754 in Potsdam, gest. 1811 in Berlin, fertigte viele Medaillen auf berühmte Männer an, so auf Moses Mendelssohn, Kant, Lessing, Wieland, Ramler, Sulzer, Euler, Spalding, Bernoulli, Marggraf, Formey, Gebhardi, Weiße u.a. Der kurländische Oberhofmarschall Ewald von Klopmann, der ein Sammler von Münzen und wertvollen Gegenständen war, ließ von Abramson goldene und silberne Medaillen auf historische Ereignisse in Kurland prägen und verteilte sie an die Beteiligten. So gab er auch eine Medaille auf den fünften Gedächtnistag des Gymnasiums in Auftrag.
(Lit. Thieme/Becker: Allgemeines Lexikon der bildenden Künstler, Bd.2, Leipzig 1908, S.30 f., DbBL S.387)

Johann Samuel SCHRÖTER, geb. 1735 in Rastenberg (Thüringen), gest. 1808 in Buttstädt, Diakonus in Weimar, gab von 1773 bis 1780 das "Journal für die Liebhaber des Steinreichs und der Konchyliologie" und 1782 eine Fortsetzung mit dem Titel "Für die Literatur und Kenntnis der Naturgeschichte sonderlich der Conchylien" im Verlag Hoffmann, Weimar heraus. Der 5.Band des Journals für die Liebhaber des Steinreichs war in der "Allgemeinen deutschen Bibliothek" kritisiert worden. Daraufhin griff Schröter in der Vorrede zum 6.Band (1780) den vermeintlichen Rezensenten Crusius in Leipzig sowie Friedrich Nicolai scharf an: "Ich könnte mich damit beruhigen, daß ihre allgemeine deutsche Bibliothek, ihren Glauben bei unpartheyischen und denkenden Lesern schon dadurch längst verloren hat, daß sie vielen rechtschaffenen Männern, deren Verdienste entschieden sind, auf unbilligste Art begegnen, und daß Sie, Herr Nicolai, wohl wissen, daß der Credit und der Abgang ihres Journals merklich fällt, da der Abgang des meinigen mit jedem Bande wächst;..." Kurios wird die Verteidigung Schröters gegen den Vorwurf der Vielschreiberei, indem er seine unermüdliche Arbeitskraft preist, während er Nicolai und dem Rezensenten vorwirft, "früh, bis die liebe Sonne warm scheint", zu schlafen und "dem lieben Gott die Tage" abzustehlen.
(Journal für die Liebhaber des Steinreichs und der Konchyologie von Johann Samuel Schröter. 6.Band Weimar, bey Carl Ludolf Hoffmanns sel. Wittwe u. Erben. 1780.)

Nach einer Randbemerkung von Nicolai hat Crell diesen Angriff beantwortet.

Hn Nicolai   Mitau d 31 März 1782.

P.P.

Ich berufe mich, mein liebster Freund, auf meine vorige Zuschriften in allen Stücken. Mit dem jungen Kaufmann Prahl aus Mitau übersannte ich Ihnen
alle rückständige Recensionen und durch einen Kaufmann Kümmel aus Dör-
pat eine Dissertat: für dh v. Born zur gelegentl: Beförderung. Hoffentlich
haben Sie schon beides erhalten. Jezt habe ich Ihnen nur etwas zu melden,
was Ihnen vielleicht interessiren könnte. Der hiesige ruß. Minister Bar.
Krüdner, von dem Sie vielleicht noch zu fordern haben, ist von seinem bö-
sen Weibe geschieden, und bekomt, wie man hier sagt, von dem Bürgemeister, seinem Schwiegervater in Riga, viel Geld zum Abtrag. Ist er Ihnen
noch schuldig, so wäre es vielleicht die rechte Zeit abermals anzupocken;
aber thun Sie es nicht durch mich, sondern durch Bollner, und laßen Sie Sich
nicht merken, daß ich Ihnen diese Nachricht ertheilt habe.

Bei der Meße in Leipzig sind verschiedene hiesige Kaufleute, als gedachter
Prahl, h Ecks u. h Kupfer. Durch einen dieser Kaufleute könnten Sie mir die
lezt verlangten Medaillen, vielleicht auch Bücher zum Recensiren schicken.
Für die Medaillen würde ich Ihnen sodann gleich ihre Auslagen erstatten. -
Ich wünsche Ihnen eine gute Meße und bin mit aller Hochachtung und Freund-
schaft

                         Ihr
                                                    r
                    ergebenster D

                    Ferber.

P.S. Mein Schwager Stegmann in Libau, den Sie kennen, ist leider vor
14 Tagen an der Brustwassersucht gestorben.

/am Rande:/ Schicken Sie mir gütigst ihren Versuch über die Beschuldigungen gegen den Tempelherrnorden etc. zu, auf meine Rechnung. Einer von
den Kaufleuten kann ihn mitbringen. Die lezten zur Rezens. gesannten Bücher habe ich an h Hartknoch abgeliefert.

Die Familie KYMMEL (Kümmel) gehört zur Verwandtschaft von Ferbers Frau (vgl. Brief 1). Hier handelt es sich entweder um August Georg Friedrich (von) Kymmel, der 1749 als Sohn des Mitauer Stadtältermannes geboren wurde und 1829 in Dorpat starb. Er war Kaufmann in Dorpat und bekleidete dort auch mehrfach wichtige Ämter. 1792 wurde er in Wien nobilitiert. Oder es handelt sich um seinen Bruder Christian Gottlieb (von) Kymmel, der 1753 in Mitau geboren wurde und 1838 in Dorpat starb. Er war gleichfalls in Dorpat Kaufmann und bekleidete u.a. das Amt des Ältermanns.

Zur Zeit Ferbers waren in Mitau zwei Kaufleute des Namens KUPFFER ansässig, die in Frage kommen: Georg Friedrich Kupffer (1749-1819), der als Großkaufmann bezeichnet wird und 1795 von Franz II. geadelt wurde, und der Kaufmann Leonhard Kupffer (1747-1812).

Ferbers Schwager Friedrich STEGMANN, geb. 1729 in Libau, gest. 13.3.1782 in Libau, hatte in Königsberg und Göttingen Jura studiert, begann 1751 seine Tätigkeit als Untergerichts-Advokat und beendete sie als Stadtsekretär in Libau. 1774 wurde er zum kgl.poln.Hofrat ernannt. (vgl. auch Brief 1)

Bei dem "jungen KAUFMANN PRAHL" dürfte es sich um einen Sohn des Mitauer Ratsverwandten Johann Diedrich Prahl handeln. In diesem Falle wäre ein Bruder von ihm Schüler von Ferber gewesen.

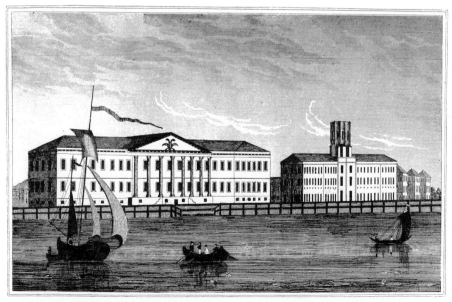

DIE STERNWARTE NEBST DER ACADEMIE ZU ST.PETERSBURG

Mitau d 19. Septemb. 1782.

Mit Beziehung auf mein leztes Schreiben vom 25sten August, kann ich Ihnen,
lieber Freund, jezt melden, daß ich das an h Werth für mich gesannte paquet
Bücher, mit medaillen etc. wohl erhalten habe. Den Brief des h Pastor Wehrt
schließe ich hier bei; weil er mich darin bittet Sie zu versichern, daß er für
die Bezalung sorgen wolle. Die Recensionen werde ich jezt anfangen. Von den
übersannten Büchern dazu, behalte ich auf Rechnung.

> Abh. e. Priuatgeselsch. in Böhmen 5^{r}
>
> Güßmann Bestimmung des Alters d.Erde.
>
> Hermans Beschreib. wie in Steyermark etc.
>
> Höfers Nachr. vom Sedatinsalz in Toskanien
>
> Klipsteins min. Briefwechsel II. 1. 2.
>
> Vers. eines syst. Verzeich. v.Schr.v.Eisen
>
> Collini Consider. sur les mont. volcan.

Hermanns und Carosi Reisen habe ich kurz vorher anderswo gekauft, werde
sie also mit dem ersten Reißenden Ihnen retour senden. In Absicht Güßmans
Bestimm. des Alters d.Erde muß ich Sie bitten die Recension einem Andern
aufzutragen; weil der Innhalt dieses 1sten Theils ganz historisch ist und völlig außer meiner kleinen Sphäre liegt. Wenn der 2te Theil wahrscheinl. phy-
sisch wird, so will ich den gerne recensiren. Für das Geschenk Ihrer schönen Abhandl. über den Tempelherrnorden danke ich gehorsamst. Das 2te
dem seel. Bolner von Ihnen bestimmte Exempl. werde ich hier entweder für
ihre Rechnung verkaufen oder zurücksenden.

Die kleinen Päckchen für h v. Heinitz, h v. Veldheim, h v. Stengel u. h P.
Gmelin wird h Szoege von Mannteufel wohl abgegeben haben.

So bald ich die Ex. des 2^{n} Theils von Jakobsons technol. Wörterbuch, die ich
lezt erhielte, ausgetheilt und die praenumeration für den 3^{n} Theil erhalten habe, womit es sich deswegen verzögert; weil alle praenumeranten nicht zur
Stelle sind /: 2 sogar in Petersburg gegenwärtig :/ so werde ich Ihnen dies
und mehr Geld, um meine Rechnung abzuthun, übersenden. Unterdeßen werden Sie wohl auch von h Crell die lezt assignirte 8 rTh 18 gr.Ct in Louisdor
à 5 rTh erhalten.

Gelegentlich belieben Sie noch die Krullische medaille über Leßing für einen
hiesigen Freund anzukaufen und beim Transport der Recensionsbücher von der
M.M. mir zuzusenden.

In dem neulich erhaltenen paquete waren die vorher verlangten Theile der
allgem.deutsch.Bibliothek /: bis inclusive den 46sten Band :/ enthalten. Von
den spätern Theilen habe ich noch nichts. Bei h Hartknoch habe ich nachfra-
gen laßen und zur Antwort bekommen: er habe nichts für mich erhalten.

Treffen Sie in der Mich.Meße den guten lieben Director Hiller, der uns hier
viele Freude gemacht hat, so bitte ich Ihn recht sehr von mir zu grüßen.

Ich bleibe unveränderlich Ihr ergebenster Freund und Diener   Ferber.

Das Bücherpaket war vermutlich an Johann Magnus Wehrt in
Mitau (vgl. Brief 41) gerichtet. Der hier genannte Pastor
Wehrt ist sein Bruder Karl Dietrich.
Karl Dietrich WEHRT, geb. 1747 in Bahten (Kurland), gest.
1811 in Groß-Autz (Kurland), studierte in Königsberg und
Jena Theologie, war dann im Hause des Kanzlers Dietrich
von Keyserling in Mitau Hofmeister. Seit 1773 Pfarrer,
wirkte er seit 1779 in Groß-Autz. Er stand in freundschaft-
licher Verbindung zu Elisa von der Recke und ihrer Freun-
din Sophie Becker und nahm in der Polemik gegen den Hof-
prediger Starck Stellung gegen diesen. Starck entgegnete
durch sein als "Anti-Wehrt" bekanntgewordenes Pamphlet.
Pastor Wehrt gehörte zu den der Aufklärung zuneigenden
kurländischen Geistlichen. Er war der Gründer einer Lese-
gesellschaft in Groß-Autz.
(Lit.: RN Bd.4, S.480 f.)

Franz GÜSSMANN: Beiträge zur Bestimmung des Al-
ters unserer Erde. 2 Teile, Wien, Gerold 1782 f.

Benedikt Franz HERMANN, Prof. der Technologie zu
Wien, Beschreibung der Manipulation durch welche
in Steyermark, Kärnten und Krain der berühmte Bres-
cianerstahl verfertiget wird. Wien, bey Kurzböck
1781. 231 Seiten in kl.8 mit einer Kupfertafel.

Hubert Franz HÖFER: Memoria sopra il sale sedativo
naturale della Toscana, e del Borace, che con quello
si compone. Firenze 1778 8.

Versuch eines systematischen Verzeichnisses der
Schriften und Abhandlungen vom Eisen, als Gegen-
stand des Naturforschers, Berg- und Hüttenmannes
etc. Berlin, bey Decker, 1782 in 8vo. 87 Seiten,
und 4 Seiten Namenregister.

Considerations sur les montagnes volcaniques etc.
par M. COLLINI, avec une table et une carte qui
concernent les montagnes, à Mannheim chez Schwan
et Fontaine 1781 en 4to. 64 pages.

Johann Adam HILLER, geb. 1728 in Wendisch-Ossig, gest. 1804
in Leipzig, gehört "zu den fortschrittsgläubigen Bildungs-
musikern der philanthropischen Epoche, die den Erziehungs-
gedanken in den Mittelpunkt ihrer Bestrebungen stellten".
Er wirkte als Komponist, Kapellmeister und Schriftsteller.
Mit Elisa von der Recke befreundet, deren "Geistliche Ge-
dichte" er vertonte, hatte er zahlreiche Beziehungen nach
Mitau, wo er auch zeitweise als Kapellmeister tätig war.
(Hofmann-Erbrecht in NDB Bd.9, S.151)

Mitau d. 22sten Decemb. 1782.

Mein wehrtester Freund! Vermuthlich haben Sie schon die Bücher, die ich von der Michaelismeße vielleicht recensiren soll, bereits abgesannt, und erwarte ich damit zugleich Antwort auf ein paar Briefe, die ich Ihnen vor geraumer Zeit schrieb. Von den Büchern, die Sie mir von der OM. sannten, behalte ich alle auf Rechnung bis auf Carosi Reisen 1^r u. Hermanns Reisen 2^s Bändchen, welche Sie zurückbekommen sollen, da ich sie vorher schon gekauft hatte. Es ist bisher keine Gelegenheit durch einen Reißenden sie Ihnen zu schicken vorgefallen; auch weiß ich so bald noch keine dergleichen. Nach unsrer Abrede könnte ich sie hn Hartknoch abgeben; er hat aber schon das vorige Mal Schwierigkeit gemacht die damals zurückgehenden Bücher zu empfangen; und nachdem er sie entgegen genommen, hat er sie nicht an Ihnen befördert, wie ich aus ihrem lezten Briefe ersehen. Mit den Recensionen von d. OM: bin ich fertig. Sie erhalten solche hiebei, so viele als nur Raum haben, ohne den Brief doppelt schwer zu machen. Die paar, die übrig bleiben mögten, will ich Ihnen franco, unter Einschluß nach Berlin, so bald ich dorthin schreibe, zustellen laßen.

Ohne Zweifel hat Ihnen dh BR. Crell meine lezte kleine assignation bezalt. Ich habe auch h von Born längst ersucht, an Ihnen etwas Geld auszalen zu laßen welches er an mir zu entrichten hatte. Wenn es geschehen ist, worüber ich noch keine Nachricht habe, so mögte meine Rechnung wohl größtentheils saldirt seyn. Ich erwarte darüber von Ihnen und von h v. Born Auskunft.

Nun habe ich an Ihnen noch eine Bitte! Dh Schiemann aus Mitau, den Sie in der Schweiz gekannt, und nach seinen Briefen an seine hiesige Mutter, viele Güte und Gefälligkeit erzeigt haben, ist hier seit 2 Monaten alle Tage zurück erwartet worden, aber noch nicht angekommen. In dieser Zeit hat er auch seiner Mutter keine Sülbe geschrieben, worüber die gute, würdige Frau höchst unruhig und seit 14 Tage schwer krank ist; weil Sie allerlei Ursachen seines Stillschweigens befürchtet. Auf ihr inständiges Bitten ersuche ich Sie, mein wehrtester Freund, mir mit umgehender Post gütigst zu melden, ob h Schiemann schon Berlin passirt habe, oder ob er sich noch da aufhalte, oder wohin er seine Reise fortgesezt habe? Ist er noch da, oder wird er noch hinkommen, so stellen Sie ihm das Unschickliche und die üblen Folgen seines unentschuldbahren Stillschweigens ernstlich vor, sagen Sie ihm, daß sein Oncle, der hier einen plan für sein Glück, wozu seine baldige Ankunft nothwendig wäre, gemacht, mir aufgetragen, Sie um diese Vorstellung an ihn zu bitten; und er sey da oder nicht, so haben Sie die Güte, mir mit der ersten Post hievon Nachricht zu geben! Sie werden dadurch seiner betrübten kranken Mutter eine Wohlthat, und mir eine Gefälligkeit erzeigen, der ich aufrichtigst bin

Ihr
ergebenster Freund u Diener
Ferber.

Johann Philipp von CAROSI, Königl.Poln.Hauptmanns, Reisen durch verschiedene polnische Provinzen minneralogischen und andern Inhalts. Erster Theil, mit sechs Kupfertafeln und einer Titelvignette. Leipzig 1781 bey Breitkopf. 262 Seiten in gr.Octav.

In seinem Bericht über die mineralogische Reise durch Polen (vgl. Brief 33) behandelt Ferber eingehend dieses Werk von Carosi.

Benedikt Franz HERMANN, Reisen durch Österreich, Steyermark, Kärnten, Krain, Italien etc. im Jahr 1780. Zweytes Bändchen, enthält die Reise von Klagenfurt über Laubach und Idria nach Triest und einen Abriß von Krain. Wien, bey Wappler 1781. 143 Seiten in 8.

Dieses Buch enthält erhebliche Kritik an den Schriften Ferbers, die in der Besprechung zurückgewiesen wird. Zur Auseinandersetzung zwischen Ferber und Hermann vgl. auch Brief 39.

Wilhelm Friedrich SCHIEMANN, geb. 1760 in Mitau, gest. 1824 in Paris, studierte seit 1775 an der Academia Petrina in Mitau, dann seit 1778 in Göttingen. Der "Plan für sein Glück", den sein Onkel, wahrscheinlich der Hofgerichtsadvokat Andreae (vgl. Brief 30), nach den Worten Ferbers gemacht hat, gewann im Juni 1783 Gestalt, als sich Schiemann mit Erfolg um eine Untergerichts-Advokatur in Mitau bewarb. Später war er Archivsekretär und Sekretär des Gerichtshofs der peinlichen Sachen. Er starb in Paris als Privatgelehrter. Auf seiner Bildungsreise nach Italien traf er Friedrich Nicolai in Basel, wo er ihm folgendes Empfehlungsschreiben übergab:

"Mein hochgeschäzter Freund,
Ich empfehle Ihnen aufs beste d. hn Schiemann aus Mitau, meinen Freund, der jezt aus Italien zurück kömmt, nachdem er vorher hier u in Goett. studirt hat. Ich bin zu allen Gegendiensten bereit,
                    Ihr
                         Ferber.
/Notiz von der Hand Nicolais:/
11.Dec. daß ich diesen Brief bereits in Basel vom Hr. Schiemann erhalt."

Mitau d 26. Januar 1783.

Mein liebster Freund,

Für ihr gütiges Schreiben vom 3^n d.M., worin Sie meine Anfrage wegen
Herrn Schiemann beantworteten, danke ich Ihnen ergebenst. So wie Sie
vermutheten, ist's auch geschehen. Er war wirklich bei der Ankunft Ihres
Briefes schon hier, und hat mir die ihm mitgegebene Bücher zum Recensiren, von der M.M., so wie das gedruckte Schreiben etc. von 12^n Wintermonaths 1782, nebst einigen andern Briefen und Einlagen von Ihnen; die ich
sogleich befördert habe, mitgebracht. Da Sie die am 22sten Decemb. Ihnen
zugesannten Recensionen bekommen, und zweifelsohne auch 4 andre, die
ich zu 2 verschiednen Malen durch h Meyer in Stettin übermacht habe, so
bin ich von der OM. 782 jezt keine mehr rückständig. Unter den Büchern
von der M.M., die ich recensiren soll, ist auch das erste Bändchen der
Hermannschen Reisen; weil Sie nun schon von d. OM. die Recension des 2^n
Bändchens erhielten, so füge ich die des ersten Bändchens diesem Briefe
bei, damit der Abdruck wegen dieses kleinen Versehens deßen, der die Recensionen austheilt, nicht verzögert werden dürfe. Ich habe Ihnen schon gemeldet, welche Bücher ich von der OM. auf Rechnung behalte. Von der M.M.
behalte ich Haidinger Eintheil. des K.Naturalkabinets zu Wien und Klipsteins
min. Briefwechsel II^r 3^s Heft, die Sie mir also zur Last schreiben wollen.
Alle übrige Bücher von beiden Meßen, werden Sie so bald möglich und sich
Gelegenheit durch einen Reißenden findet, zurückbekommen. Außer dem, was
ich Ihnen beim lezten Abschluß schuldig geblieben bin, für Jacobsons 3^n Th^l
und 3 Medaillen von Abrahamson, belieben Sie noch 14 gr. für den 1sten Theil
ihrer Abh. des Tempelherrnordens, für das Exempl. welches der seel. Bolner hätte haben sollen, welches ich an einen Andren verkaufte, und 2 # praenumeration auf ihre angekündigte Reisebeschreib: 2 Exempl. /: eines für
mich, das 2te für dh HofgerichtsAdvokat Andreae :/ in mein Debet zu bringen.
Ich werde nun wohl bald von h von Born, der mir sehr lange nicht geantwortet
hat, erfahren, ob und wie viel er an Ihnen auszalen läßt, und sodann Ihnen das
Fehlende zuschicken; wenigstens soll in d. O.M. wenn es vorher an Gelegenheit mangelt, alles von mir berichtiget werden. Über eine kleine summe von
einigen # ist es unangenehm hier eine assignation zu kaufen; weil man allemal Wechselkosten hat, die durch Übersendung mit einem Reisenden, der sicher ist, vermieden werden. Können Sie mir die Krullische Medaille auf Leßing verschaffen, soll es mir lieb seyn. Auch bitte ich Sie, wenn dh Geheimerath Stengel etwas für mich einsendet, es zu empfangen und gelegentlich hieher zu senden. Die etwanigen Auslagen von Mannheim aus, wenn er es nicht
franquiret, erstatte ich sodann, wie billig.

Wenn dh Pastor Wehrdt wegen Fortsezungen der lezt übersannten Werke Ihnen nicht besonders schreibt, so schicken Sie sie auf's Ungewiße nicht ein.

Karl HAIDINGER: Eintheilung der kais.kön. Natu-
raliensammlung in Wien. Wien, Chr.Fr. Wappler 1782.

Friedrich NICOLAI: Versuch über die Beschuldigungen,
welche dem Tempelherrenorden gemacht worden, und
über dessen Geheimnis; nebst einem Anhange über das
Entstehen der Freimaurergesellschaft. 2 Bde. Berlin,
Nicolai 1782 und 1783.

Ferbers Ausführungen über die FREIMAUREREI fanden offenbar
die Billigung Nicolais. Dieser war anscheinend erst 1782,
also etwa zur selben Zeit, als auch die Hauptvertreter des
Josephinismus, Joseph von Sonnenfels und Ignaz von Born,
einer Loge beitraten, Freimaurer geworden. Freilich stan-
den sie alle - wenn sie auch vorher nicht unmittelbar zu
einer Loge gehört haben sollten - freimaurerischen Kreisen
nahe.
Die Passagen in Ferbers Brief von der Wendung an, daß man
die "Wahrheit nicht allemal rein heraus sagen darf", bis
zu dem Ende des Absatzes hat Nicolai am Rande angestrichen
und mit einem "o ja!" versehen. Das gleiche gilt für das
Ende des vorletzten Absatzes, zu dem Nicolai als Randbe-
merkung "recht" schreibt. Neben den Satz, daß oft derjeni-
ge, der die Wahrheit nackt sage, "selbst in solchen Sa-
chen, wo nichts geheim gehalten werden darf, gewißen Perso-
nen, die ihr elendes Licht gern läuchten laßen wollen, ge-
häßig werden könne, womit niemand gedient" sei, hat Nicolai
"Born" gesetzt, wodurch er offenbar auf Konflikte des öster-
reichischen Gelehrten mit Vertretern der Beamtenschaft an-
spielt.
Freimaurertum, aufklärerisches Gedankengut unter Einschluß
des Kampfes gegen den Wunderglauben, auch als Element reli-
giöser Welterfassung, und moderne Wissenschaftsgesinnung
werden in diesem Brief Ferbers, wie auch von vielen anderen
Zeitgenossen, als sich ergänzende Erscheinungen aufgefaßt.

Ferber war ein Naturwissenschaftler, der auf die exakte Be-
obachtung als Voraussetzung für wissenschaftliche Arbeit
achtete. Vor allem unterschied er streng zwischen religiö-
sem Glauben und Wissenschaft. So kritisierte er auch in
seiner Besprechung der "Reisen nach dem Riesengebirge" des
Johann Tobias Volkmar (Bunzlau 1777), daß der Verfasser "den
bloßen zufälligen Fund eines Geschiebes von weisser, dünner
Rinde, mit einem inwendigen Chrysolithen... für ein beson-
deres Geschenk der Vorsehung hält", und meinte, daß diese
Frömmigkeit übertrieben sei und ein jedes Weltkind so einen
Stein, sogar einen Diamanten hätte finden können.
(AdB Bd.36, Anh 2, S.1176)

Er und seine Geselschaft laßen sich auch aus Königsberg Bücher kommen
und da ich ihn in vielen Monathen nicht gesehen habe, so weiß ich nicht,
ob etwa die Fortsezungen noch verlangt werden.

Von d. allg.deutsch.Bibl. habe ich jezt alle Theile complet bis und mit den
51sten Band. Von ihrer Abh. über die Tempelherrn habe ich den 1sten Theil
aus ihrer Güte richtig erhalten; aber den 2ten nicht. Durch wen haben Sie
denselben mir zugeschickt? Von vernünftigen Leuten hieselbst, die Freimaurer sind, habe ich nichts als Gutes über dieses ihr Werk urtheilen gehört. Es kann aber wohl seyn, daß es hier so wie anderwärz unter dem großen Haufen meiner Hren Brüder, Thoren giebt, die weil sie von aller profanen Gelehrsahmkeit gänzlich entblößt sind, gerne für Geheimnißreich (in der
Maçonnerie) angesehen werden mögten, um bei aller Gelegenheit eine wichtige Miene zu behaupten. So viel ich weiß, sind Sie, mein l. Freund, selbst
F.M. und werden also, vielleicht länger als ich, schon gemerkt haben, daß
es in dieser ehrwürdigen Geselschaft, so wie in allen andern, die christl.
Kirche gar nicht ausgeschloßen, Erznarren giebt, die selbst nicht wißen,
was sie alles heilig machen wollen. Solchen ist Schurzfell und andrer äu-
ßerl. Prunk, der nichts zur Sache thut, wichtig und ihr Aberglauben und En-
thusiasterey, für einen vernünftigen Mann lächerlich. Der große Haufen in
den ⊟ , der weiter nichts thut, als Excerciren und freßen, denkt über gar
nichts nach, und liest auch nichts; sondern läuft nur der Mode wegen mit.

Nach meiner Meinung müste Aufklärung des menschl. Geschlechts, Verbeßerung deßelben überhaupt im sittlichen Charakter und Minderung des menschl.
Elends allerorten und vorzügliche Glücksbeförderung der rechtschaffenen und
verdienstvollen Brüder der Hauptzweck der gegenwärtigen Maurerey seyn;
und es ist nicht zu zweifeln, daß hierin sehr viel ausgerichtet werden könnte,
wenn die Sache überall am rechten Ende angefangen und vollführt würde, ohne
Zank über Systeme, Ceremonien, Contributionen hin u. her u. dgl. mehr
non sens, worin sich zum Theil niedriger Eigennuz mengt. Der Ursprung
und erste Zweck des Ordens hätte eigentl. mit der gegenwärtigen Absicht
nichts zu thun, und muß so wie Sie gethan, nach historischen Grundsezen un-
tersucht werden. Auch ist ihr sentiment darüber für mich einleuchtend genung. Ich schreibe Ihnen alles dies so frey; weil ich glaube, daß Sie mein
OS-Bruder sind. Irre ich mich darin, so sind Sie doch mein mitbruder in der
Gelehrsahmkeit und haben zur Aufklärung der Menschen viel und vortrefflich
gearbeitet. In beiden Fällen weiß ich, daß Sie schweigen können, und meine
Äußerungen weder eingeweihten noch uneingeweihten Profanen bekannt machen werden; weil Sie eben so gut, als ich, einsehen, daß man Wahrheiten
nicht allemal rein heraus sagen darf und verbunden ist die Narrheiten der
Schwachen zu ertragen, so wie es sich gar nicht lohnt oder ziemet, Perlen
für die Säue zu werfen. Zuweilen zieht es auch wohl Verdruß nach sich. Bei
aller Erweiterung des menschl. Verstandes und Wißens, die man unserm
Jahrhundert gewiß nicht absprechen kann, ist es doch unglaublich, welche

Ferbers nüchterne wissenschaftliche Genauigkeit wurde dann auch in Mitau mit einer Spielart des Wunderglaubens als Reaktion auf Cagliostros Charlatanerie konfrontiert. Er hat darüber in der "Berlinischen Monatsschrift" (1790, Bd.16, S.302-322) berichtet. Wahrscheinlich wurden Ferber und Jacob Friedrich Hinz sogar von skeptischen Brüdern der Mitauer Logen dazu bewogen, der hier durch Cagliostro 1779 gegründeten Loge beizutreten und zu prüfen, was an den Ankündigungen des Abenteurers sei. Die enge Freundschaft mit Elisa von der Recke dürfte auch aus dieser Zeit datieren. Elisa wurde aus einer glühenden Anhängerin Cagliostros zu dessen scharfer Feindin, die ihn dann auch in ihrer 1786 im Verlag von Nicolai erscheinenden Schrift entlarvte. Ferber scheint diesen Sinneswandel zusammen mit dem Hofrat Schwander, Hinz und anderen bewirkt zu haben.

Benedikt Franz HERMANN, geb. 1755 in Maria-Hof (Steiermark) als Sohn eines Landwirts, gest. 1815 in St.Petersburg, besuchte die Stadtschule in Murau und die zwei Humanistenklassen im Dominikanerkloster zu Friesach. Dann erlernte er die Salzwerkkunde in Aussee und trat in das Schwarzenbergsche Rentamt ein. Neben seiner Arbeit hörte er Vorlesungen an der Universität Graz und studierte Kameralwissenschaften an der Universität Wien. Um 1780 hielt er als erster Professor in Wien Vorlesungen über Technologie. Nach einer Studienreise durch Italien, Ungarn und Deutschland wurde er von Karosi nach St.Petersburg empfohlen. Hier war er Direktor von Eisenwerken, Inspektor der Bergschule, Oberberghauptmann und seit 1807 General-Bergintendant, bekleidete also den höchsten Posten im russischen Bergbau. Hermann war als Praktiker erfolgreich und als Gelehrter, vor allem in seinen späteren, mehrfach preisgekrönten Schriften, anerkannt. Er wurde 1781 von Nicolai in Wien besucht, worüber dieser in seiner Reisebeschreibung berichtet. Seit 1784 war Hermann auch Autor des Verlags von Nicolai. (Lit.: A.Tautscher in NDB, Bd.8, S.653 f.)

Das recht negative Urteil von Ferber über Hermann änderte sich in den folgenden Jahren. In einem Brief vom 6.April 1788 schreibt Ferber an Nicolai u.a. folgendes:

"Ich schicke Ihnen hiebey das sehr interessante Mspt d Hr. Hermann mit vielem Danke für die Communication, zurück, und bitte Sie im Namen aller Mineralogen, es ja gar bald u wenigstens bis Michaelis abdrucken u herausgeben zu laßen. Er ist in der Gebirgslehre von den Hacquetschen Visionen ganz abgegangen, und dieser Sieg der Wahrheit ist nur eine Folge seiner verfielfältigten Beobachtungen in ursprünglichen Gebirgen, wo man alles recht sehen kann,

Menge Dummköpfe, selbst unter studirte und Weltleute, die Erziehung genoßen haben wollen, Gottes Erdboden trägt. Wenn nun soche Leute für ihr baares Geld aller Orten zu F.M. aufgenommen werden; wenn nachher zu ihrer Aufklärung u Beßerung nichts weiter vorgenommen wird, was soll denn dabei herauskommen? Wie will man noch Vernunft und Bruderliebe von ihnen erwarten? Und welcher großer Zweck steht wohl durch viele solche Menschen zu erreichen?; denn einige <u>wenige</u> kluge Menschen werden die Welt nicht umkehren. Doch genug hievon!

Der Prof. Hermann aus Wien soll sich vor 1 Jahr ungefär bei den von den Rußen unterstüzten Chan von der Krimm, - ich weiß nicht, in welcher Art - engagirt haben. Er ist zu dem Ende vor länger als 1/2 Jahr /: ich weiß eigentl. nicht wenn :/ wahrscheinl. durch Mitau nach Petersburg /als Anmerkung auf dem Blatt unten: wo er wegen der krimmschen Unruhen sich noch aufhält,/ gereißt - er müste denn, von Stettin zu Waßer gereißt seyn; denn in Berlin ist er gewesen, wie mir Bernoulli schrieb. Da Sie ihn in Wien gekannt haben, so wundert's mir nicht wenig, daß er <u>Sie</u> nicht besucht hat. Ich vergebe es keinem, der es versäumt, wenn er nach Berlin kömmt. Mir hat er bei seiner passage durch Mitau, obgleich h Bernoulli mir dazu Hofnung machte, nicht die Ehre seines Besuchs gegönnt. Aus seinen Schriften zu urtheilen, hat er wirklich Kenntniße und Fähigkeiten, aber zur Zeit sind sie gewiß nicht reif, und es scheint mir, daß er ein junger flüchtiger Mann seyn müße, der zu viel mit einem Mal umfaßen mögte und aus Begierde, sein Glück zu poussiren, zu viel oder zu schnell hinter einander schreibt, und eben so flüchtig beobachtet, oder gar bloß an der Oberfläche eilig hinüberfährt, wie es jezt Mode ist. Dabei zeigt er offenbahr zu große Anhänglichkeit an Hacquets thörichten Meinungen, den ich von Person kenne, noch zu der Zeit als er ein adjectivum und substantivum nicht im rechten genere zusammenfügen konnte, und in Hydria, als ein windiger Franzos Kreuter sammlete, und doch Linné meistern wollte, nachdem er durch den Umgang mit Scopoli einige Brocken aufgeschnappt hatte, die er bei seinem Barbierbecken, womit er 2 mal in der Woche, die dortigen Bergbeamten aufwarten muste, nicht recht verdauen konnte. Ich will glauben, daß er nachher fleißig und viel gelesen habe; aber es fehlt ihm an jugement und er hat einen erbärmlichen Stolz, nachem er durch Schmeicheleyen gegen v. Swieten Professor in Laubach, zu meiner Verwunderung, geworden ist. Vielleicht hat P. Hermann entweder vermuthet oder erfahren, daß ich Hacquets Oryct: Carniol: recensirt habe, und ist deswegen nicht zu Ihnen und zu mir gekommen. Es sey darum. Mein principium in meiner Sphäre ist die alte goldne Regel: Amicus Plato, amicus Socrates; sed magis amica Veritas. Indeßen wünsche ich doch, mein liebster Freund, daß es unbekannt bleibe, welche Recensionen in der allg.d.Bibl. ich verfaße, um alle Feindschaft, die durch den Vortrag der Wahrheit entstehen kann, wo möglich, zu vermeiden. Ich schicke Ihnen meine Recensionen, so oft es thunlich ist, in meiner eigenen Handschrift, um Ihnen das Reinschreiberlohn zu ersparen. Ich will aber hoffen, daß meine Aufsäze nicht in Händen des Cen-

was niedrigere Berge oder Äste der Hauptjöcher nicht so
deutlich zeigen, wenn man wenigstens nur so, wie ein Hacquet beobachten kann. Das Mspt habe ich des Min: v.Heinitz
Excellenz zum Durchsehen in Ihrem Namen offerirt; die kleine Schrift aber würde ihm wohl Mühemachen es zu lesen und
Er hat keine Zeit dazu; weil er d 2^n Maj verreiset. Er dankt
Ihnen indeßen verbindlichst für die offerte, und bittet
auch, daß Sie es bald drucken laßen. Sorgen Sie ja für einen guten Corrector. Die Schrift ist klein und durch viele
Zeichen abgesezt oder abgebrochen, wo der Sezer gewiß auf-
merksam seyn muß, wenn er Fehler vermeiden soll.
Theilen Sie mir die addresse von Herman mit! Ich will ihm
einige Aufträge geben. Sie wißen, daß ich verreißen soll
und den ganzen Sommer wegbleibe. Sie reißen auch bald weg.
Dies veranlaßet mich Sie zu bitten, mir wenigstens die Namen einiger guter Männer im Reiche und in der Schweiz von
Ihrer Bekantschaft aufzusezen, die ich besuchen und kennen
lernen kann."

Belsazer HACQUET, geb. 1739 in Le Conquet in der Bretagne,
gest. 1815 in Wien, diente während des Siebenjährigen Krie-
ges als Unterarzt in der österreichischen Armee und wurde
Professor für Anatomie und Chirurgie am Lyceum in Laibach,
1788 für Naturgeschichte in Lemberg. Seine weiten Reisen
durch die Habsburgermonarchie wurden von Maria Theresia
und Joseph II. durch Geldmittel unterstützt.
(Lit.: Wurzbach, Biogr.Lexikon, S.163 f. Bd.7)

Johann Anton SCOPOLI, geb. 1723 zu Cavalese (Tirol), gest.
1788 zu Pavia, studierte Medizin in Innsbruck und wurde
Physikus in Idria in Krain, wo er die Bergbaueleven in me-
tallurgischer Chemie unterrichtete und wo ihn Ferber auch
persönlich kennenlernte. Seine Tätigkeit als Naturforscher
führte ihn als Lehrer nach Schemnitz und Pavia. Einen Ruf
nach St.Petersburg als Nachfolger Johann Gottlob Lehmanns
lehnte er ab.
(Lit.: Wurzbach, Biogr.Lexikon, Bd.33,34, S.210 ff.)

   Johann Siegmund Valentin POPOWITSCH: Untersuchungen vom Meere. Frankfurt und Leipzig 1750.

sors oder Druckers verbleiben, indem meine Hand, durch eine ausgebreitete und für mich sehr kostbahre correspondence, schon zu sehr bekannt ist. Sorgen Sie doch in diesem Stücke für meine Ruhe! Sie können aus meinen oben geäußerten Gedanken von dem jezt zuträglichsten und nüzlichsten Zweck des F.M.O^S leicht schließen, daß ich dafür halte, daß ihre a.d.B. viel zur Aufklärung beitrage und beigetragen habe, in allen Fächern <u>wahrer</u> Weißheit, und darum arbeite ich sehr gerne daran, in so weit ich im Stande bin Nuzen zu stiften. Allein so wie ich überhaupt denke: daß die Wahrheit in gewißen Sachen nicht allemal nackt erscheinen könne; so ist es bekannt genung, daß oft der, der sie sagt, selbst in solchen Sachen, wo nichts geheim gehalten werden darf, gewißen Personen, die ihr elendes Licht gern läuchten laßen wollen, gehäßig werden können, womit niemand gedient ist. Melden Sie mir im Vertrauen, was der Baron v. Beust, der jezt in W... so viel Rodomontaten macht, in Sachsen gewesen ist! Ist er Baron? Ist es ein Mann von Einsicht? Kaum kann ich es glauben, wenn alles wahr ist, was man mir von dorther von ihm und seinen Vorschlägen, insgeheim gemeldet hat.

Leben Sie wohl, mein liebster Freund und glauben Sie sicher, daß ich mit wahrer Hochachtung ewig bin

      Ihr gehorsamster Diener u ergebenster Freund   J.J. Ferber

P.S. Den Aufenthalt der Mad. Henry, an welche Sie mir den Brief schickten, habe ich bei aller Nachfrage hier in Mitau nicht erfahren können. Ich habe ihn also an einen Freund gesannt, der ihn <u>sicher</u> abliefern wird, und künftig werde ich Ihnen melden, wo Sie sich jezt aufhält. Addio! - Doch noch eins! Können Sie mir <u>Popowitsch</u> Abhandl. vom Meere verschaffen; so belieben Sie mir dies Buch, wenn h <u>Bäckmann</u> aus Mitau, h. Schiemanns Reisegefährter, noch in Berlin ist, mit ihm zuzusenden. Sollte er schon fort seyn, so ersuche ich's mit der ersten Gelegenheit mir zukommen zu laßen.

Medaille von Abramson auf das vierte Stiftungsfest der Academia Petrina 1779
(Sammlung Hans v. Hoerner)

Mitau d 16 März 1783.
Mein lezter Brief, liebster Freund, war vom 26 Jänner. In wenigen Tagen
wird H Baeckmann, der Sie wahrscheinl. in Berlin besucht hat, hier zurück erwartet; und ich vermuthe, daß er mir einige Zeilen von ihrer Hand
mitbringen wird, welches mir denn sehr angenehm seyn soll.

Durch dh Grafen von Medem, einen Bruder unsrer regier: Herzoginn, der
in Berlin Offizier bei den Gens d'armes ist, sannte ich Ihnen am 22sten
Februar die zurückkommenden Bücher vom Recensiren, ein einziges ausgenommen, welches nachher gesannt werden soll. Zugleich waren dabei
2 kleine Päckchen Dißertationen: eins mit Aufschrift an h v. Veldheim zu
Harbcke, und das 2te an h Prof. Gmelin in Goettingen. Die adresse an
P.Gmelin ersuche ich Sie jezt abzunehmen und die neue: an h Geheimerath
v.Stengel in Mannheim aufzusezen, und diesem Herrn das Päcklein, so
bald sich Gelegenheit findet, zuzusenden. h Prof. Gmelin soll eins durch
einen andern Weg erhalten. Ich hatte nur im Schreiben mich versehen.
Hoffentl. hat der Graf v. Medem schon längst das mitgenommene Oberwän-
te abgegeben. Ich bin allezeit
                                        der Ihrige
                                              Ferber.

Kommentar zu Brief 40

*Christoph Johann (Jeannot) Graf von MEDEM, geb. 1763 in
Mesothen (Kurland), gest. 1838 in Mitau, war ein Stiefbru-
der Elisas von der Recke. Nach seiner Studienzeit an der
Academia Petrina war er in der Suite und Garde du Corps
Friedrichs d.Großen, dann Flügel-Adjutant Friedrich Wil-
helms II. in Berlin, später Flügel-Adjutant Kaiser Pauls I.
in Rußland.
(DbBL S.500)*

*August Ferdinand Graf von VELTHEIM, geb. 1741 in Harbke
bei Helmstedt, gest. 1801, war Berghauptmann, zog sich
aber bald auf seine Güter zurück und betätigte sich als
wissenschaftlicher Schriftsteller. Seinen 1781 in Braunschweig erschienenen Grundriß einer Mineralogie besprach
Ferber in der "Allgemeinen deutschen Bibliothek" (Bd.49),
an der auch Veltheim mitarbeitete, positiv.*

Mitau d. 5. Junii 1783.

Ich berufe mich, liebster Freund, auf meine vorigen Briefe, auf die ich
noch nicht das Vergnügen gehabt, ihre Antwort zu erhalten. Nur brachte
mir h Baeckmann vor 14 Tage die 2 Stücke d. allg.d.Bibl., die Sie ihm
für mich mitgegeben hatten; für welche ich sehr danke. Von der K. Akad.
d.Wißensch. zu St.Petersburg bin ich vor kurzem zum Profeßor d. Mineralogie u ordentl. Mitglied derselben berufen worden, und jezt mit Anstalten zu meiner Abreise dorthin beschäftiget, welche ungefär um Johanni vor
sich gehen wird. Wenn ihre Zeit es erlaubt, mich bald mit einer Zuschrift
zu erfreuen, so kann ich sie noch in Mitau erhalten. Hiebei übersende ich
Ihnen die noch rückständigen Recensionen, die Sie mir aufgetragen haben.
Durch meine Veründrung des Orts oder Aufenthalts sehe ich mich außer
Stande, einige Bücherrecensionen von der vergangnen Ostermeße zu übernehmen. Aus Petersburg werde ich Ihnen erst melden können, ob und wie
ich damit weiter fortfahren kann. Das schwerste dabei wird wohl die noch
größere Entfernung u. d. Übersendung der Bücher seyn. Ich habe Ihnen zwar
vorher schon geschrieben, daß ich den 5^n B^d der böhmisch. Abh. und Haidinger Eintheil. des Wiener Kabinets auf Rechnung behalten würde; da ich
sie aber zum Geschenk erhalten und doppelt nicht brauchen kann, so werde
ich diese beiden Bücher, nebst Sage Kunst Gold u Silber zu probiren, Ihnen
durch die erste Gelegenheit, die sich trifft, wider zustellen laßen, und lief-
re sie zu dem Ende an h Prof. Beseke ab. Was die künftige Besorgung der
Praenumerationen betrifft, hier in Mitau, auf Jacobsons technol. Lexikon
und Ihre eigne Reise durch Deutschland, so ist dh Prof. Beseke willig sie zu
übernehmen, und soll von mir über alles, vor meiner Abreise, zu dem Ende
instruiret werden. Vielleicht erhalte ich durch h Goerz aus Goettingen, der
jezt schon in Berlin seyn wird, den 3^n Theil des gedachten Lexikon und den
Anfang ihrer Reise, noch eh' ich aus Mitau reiße. Kömmt er aber nicht um
Pfingsten oder vor Johanni hieher, so addressiren Sie lieber alles gleich an
Beseke, auch die Exemplare für mich. Er wird's richtig besorgen. Wie Sie
in der Zukunft mir am bequemsten etwas übersenden können, nach Petersburg, davon künftig. Der Geheimderath Stengel in Mannheim wollte in d.
OM. ein kleines Kästchen Mineral. für mich an Ihnen f^{co} abliefern laßen.
Ist es geschehen, so schicken Sie es vermuthl. durch h Goerz hieher. Geht
es nicht an, so behalten Sie es dieweil bei Sich, bis ich andre addresse gebe.

Da mir dh v. Born in Wien seit 5 Monathen nicht geschrieben hat, so weiß
ich nicht, ob er in der O.M. wie ich doch vermuthe, an Ihnen hat 16 rTh 6
gr. Sächs.Ct, für meine Rechnung, in Leipzig auszalen laßen, oder nicht.
Ich erwarte von Ihnen, 1: Freund, darüber Nachricht, so wie überhaupt ihre
gewöhnliche jährl. Ostermeßberechnung meines Debet und Credit. Ich kann
selbst nur einen sehr ungefären Calcul machen. Wenn Sie von h v. Born in
d. OM. Geld bekommen haben; so mögte das Geld, was ich Ihnen überhaupt

Herrn Le SAGE Kunst, Gold und Silber zu probiren,
oder Erfolg der Kapellirung verschiedener metalli-
scher Substanzen mit Bley und Wißmuth, durch welche
Arbeit das Gold feiner und reiner erhalten wird, als
durch den Weg der Scheidung. Mit einem Kupfer (es
sind wirklich zwey). Reval und Leipzig bey Albrecht
und Compagnie. 1782, in 8. 144 Seiten.

Hier handelt es sich wahrscheinlich nicht um Karl Dietrich
Wehrt (vgl. Brief 37), sondern um seinen Bruder Johann Mag-
nus WEHRT, geb. 1751 in Bahten (Kurland), gest. 1794 in Mi-
tau, der seit 1778 auch bei Ferber studiert hatte. Trotz
großer Kränklichkeit, die ihn an einem regelmäßigen Stu-
dium hinderte, entwickelte er eine lebhafte Tätigkeit, u.a.
auch als Bücherauktionator und Inhaber einer Leihbücherei.
Er bestellte ferner Bücher und Zeitschriften gegen ein ge-
ringes Entgelt aus Deutschland. Kurz vor seinem Tode wurde
er Aktuarius des Doblenschen Hauptmannsgerichts.
(Lit.: RN, Bd.4, S.429 f.)

Wehrt scheint über viele Jahre hinweg an Nicolai verschul-
det gewesen zu sein. Jedenfalls findet sich im "Nachlaß
Nicolai" folgender Brief:

"Mitau d. 15.März 87

Ich bin in der Gefahr daß Ew.HochEdelgeb. mich für einen
sehr schlechten Menschen halten werden; allein vor Gott sa-
ge ich Ihnen daß ich das nicht bin, denn lediglich wahres
Unvermögen und pure Armut haben mich noch immer zu Ihrem
Schuldner gemacht - und es wundert mich recht sehr daß
H Pastor Klapmeyer ihnen meinen Brief nicht vor 2 Jahre
zugestellt hat. Ich bin schon seit etlichen Jahren ein be-
ständiger Kranker und seit 4 Jahre mehrentheils auf dem
Bette, und werde lediglich von der Wohltätigkeit meiner
Freunde erhalten. Ich seze es voraus, so wie es mir bekandt
ist, daß Ew.HochEdelgeb. ein vom Himmel gesegneter, men-
schenfreundlicher Mann sind, und ich provozire auf Ihr Ge-
fühl ob Sie mich einer Schuld erlaßen wollen, die ich nicht
zahlen kann, oder ob Sie weiter gehen wollen - Ich überlaße
es Ihnen, sich hier nach der Wahrheit meiner Umstände zu
erkundigen, bei wem Sie wollen. Wenn Sie meiner Bitte Ge-
rechtigkeit wiederfahren laßen, so wird es Ihnen nicht feh-
len, für eine gute That, vom Himmel anderweitig belohnt zu
werden - wenigstens werde ichs erkennen und Sie stets als
einen Mann schäzen, der den Leidenden schont.

Joh. Wehrt "

noch zuzuzalen habe, ungefär 20 rTh ausmachen. Hätte aber h v. Born nichts eingesannt, so bin ich Ihnen mehr schuldig. Jedoch vermuthe ich wohl, daß Er's gethan hat, und schicke Ihnen deswegen in beigeschloßener assignation sieben Dukaten auf Abschlag. Wenn ich ihre Berechnung erhalte, wird sich alles ausweißen, und ich berichtige so dann alles genau, wenn ich Ihnen überdem etwas noch schuldig bleibe.

Schlieslich empfehle ich mich Ihrer fortdauernden Freundschaft und Gewogenheit bestens und verharre mit wahrer Hochachtung und Ergebenheit

Ihr

aufrichtig: Freund und Diener

Ferber.

P.S. Eh' ich noch meinen Brief zusiegeln und auf d. Post abgeben kann, erhalte ich Ihr angenehmes vom 15. May aus Leipzig, worauf ich heute noch die Antwort schuldig bleiben muß. An h v. Born schreibe ich in wenigen Tagen dem zu Folge, was Sie mir von Wien und Sonnenfels etc. melden. Ob Born an Ihnen Geld zalen läst oder nicht, darüber erwarte ich Nachricht. Wehrdt werde ich ernsthaft erinnern; auch meine Schwiegerinn Stegmann, so bald sie vom Lande widerkömt. Die Leztere wird wohl gewiß genung bezalen. Mehr künftig! Schreiben Sie mir bald nach ihrem güt: Versprechen, noch einmal hieher, eh' ich Mitau verlaße. Addio!

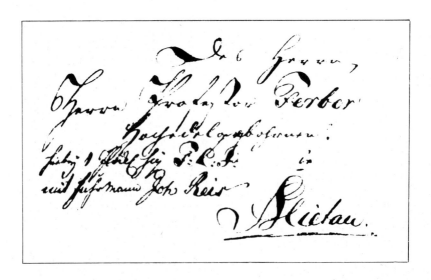

Savage Delineavit.   Lorieux Sculpsit.

De Vente aqua Park.

Vue de la Ville de Mittauf

St. Petersb. d 31. Octob. alt. St. 1783

Es wäre denn wohl einmal Zeit, mein theuerster Freund, auf Ihr Angenehmes vom 23sten Junii (so ist der gedruckte Brief datirt) zu antworten?
Gerne hätte ich es weit früher gethan; allein Sie werden Sich leicht alle,
mit einer solchen Veränderung einer eingerichteten Wirthschaft verbundene
Schwierigkeiten, Sorgen und Beschäftigungen, als ich bei der meinigen habe
empfinden u. bewerkstelligen müßen, vorstellen können, und mich daher
entschuldigen, wenn ich auch weiter keine Veranlaßung dazu vorbringe. Ich
bin nun, wie Sie wißen, hier, und fange an ein wenig in Ordnung zu kommen.
Wäre der Ort nicht so theuer, oder meine gage größer; so hätte ich bisher
wenigstens alle Ursache zufrieden zu seyn. Allein hierin sticht der Knoten,
warum noch viel zu wünschen übrig bleibt. Doch, es kann mit der Zeit vielleicht beßer werden; also laße ich die Grillen dieweil fahren. Um Michaeli
ungefär habe ich die Bücher erhalten, die Sie mir, nebst dem Kästchen Mineral. aus Mannheim, durch dh Pastor Schmidt zugesannt haben. Gestern bekam ich auch Popowitsch Abh. vom Meere etc. Da Sie doch noch wollen, daß
ich an d. a.d.Bibl. mitarbeiten soll; so will ich mich deßen zwar keineswegs
entziehen; allein da ich die zu recensirende Bücher so spät diesmal erhalten
habe, und auch wohl künftig allezeit spät erhalten werde, so müßen Sie mir
nicht verübeln, wenn meine Recensionen jezt länger, als vorher, ausbleiben.
Dies ist wegen der Entfernung und wegen meiner nunmehrigen Geschäfte, die
besonders im Anfang sich häufen, unvermeidlich. Erhalten sollen Sie sie
aber gewiß, wenn Sie mir nur die nöthige Zeit laßen. Die Bücher, die ich
nicht selbst behalte, sollen Sie entweder gelegentlich in natura widerbekom-
men, oder auch werde ich solche hier so gut als möglich zu veräußern suchen, wozu aber kaum ein andrer Weg, als durch auctionen, die nur selten
von Büchern vorfallen, offen steht. Welche Bücher ich von den zum recensiren diesmal übersannten behalte, melde ich Ihnen künftig. Ihre übersannte
Berechnung mit mir von der verfloßenen OM. d.Jahres hat völlige Richtig-
keit, wenn ich nur einige Errata anmerke. D: Abhandl. d. Böhm. Priuatge-
selsch. 5^r Theil, Haidinger vom wienersch. Natural-Kabinet u. Sage Kunst
☉ u ☽ zu probiren, die mir zu Last geschrieben sind, habe ich Ihnen
durch dh P. Beseke zurücksenden laßen, und die Beobacht. über Gebirge
(bei Königshain) 1 rTh 12 g., die ebenfals in mein diesjähriges Debet gebracht sind, habe ich schon laut Ihrer Rechnung von d. OM. 1782. bezalt.
Anstatt also, daß mein diesjähriger Rest in d. OM. 14 rTh 14 g. angesezt
ist, beträgt er nur 11 rTh 6 g., welches Sie notiren zu laßen belieben werden.

Seit dem ich, nach Ihren Auftrag, an h v. Born schrieb und geraume Zeit
vorher, nun bald 1 Jahr, habe ich von Ihm keine Sülbe erhalten. Ich weiß mir
keine Ursache davon zu denken, es sey denn, daß er außerordentl. kränklich
sey, wie ich befürchten muß. Ich meldete ihm meinen Ruf hieher, höre aber
von ihm nichts. Ich wüste wahrlich keine Ursache, warum er mir seine

Abraham SCHMIDT, geb. in Danzig (?), gest. 1788 in St.Petersburg, war von 1775 bis zu seinem Tode Pastor des deutschen Teils der Reformierten Gemeinde.
(H.Dalton: Geschichte der Reformierten Kirche in Rußland. Gotha 1865, S.68)

I.M.d.K. = Ihre Majestät die Kaiserin

Examen hypotheseos de transmutationibus corporum mineralium, institutum a I.I.FERBER. In: Acta Academiae scientiarium Imperialis Petropolitanae pro Ao. MDCCLXXX. St.Petersburg 1784

Reflexions sur l'ancienneté relative des roches et des couches terreuses qui composent la croute du globe terrestre, par I.I. FERBER. In: Acta Academiae scientiarium Imperialis Petropolitanae Pro Anno MDCCLXXXII. St.Petersburg 1786.

Belsazer HACQUET: Plantae alpinae Carniolicae collectae et descriptae. Wien 1782.

Philosophisch-physikalische Fragmente über die Geogonie, worinnen die vornehmsten Meynungen des Herrn Oberconsistorial- und Oberbauraths Silberschlags freymüthig geprüft, und mit den besten und neuesten Beobachtungen verglichen werden. Nebst einem philosophischen Schreiben des Verfassers an den Freyherrn von Dumont. Erster Theil. Die Entstehung der Erde betreffend. Breslau, Löwe, 1783. 232 Quartseiten.

Freundschaft, die so warm jederzeit war, entziehen sollte; und kann mir einen solchen Argwohn gar nicht in Sinn kommen laßen; indeßen muß es doch eine Ursache haben. Haben Sie nicht kürzlich etwas von seinem Befinden vernommen?

Bald nach meiner Herkunft genoß ich die Ehre I. M. d. K. in Sarskoselo vorgestellt zu werden. Die Monarchinn ist die Leutseligkeit selbst. Sie hatte die Gnade mit mir eine ganze Weile zu reden. Die diesjährige Preißfrage der Acad. d. Wiß. nebst der Einleitung, oder das ganze programma habe ich geschrieben. Ich schicke es nur darum nicht; weil der Brief zu dick würde. Für die Acten habe ich schon eine lateinische Abh. fertig und die 2te französische unter Arbeit. Künftigen Sommer soll ich das Mineralkabinet rangiren. Sie haben wohl bemerkt, daß unsre Mineralogen größtentheils Verwandlungen der einfachsten Erd- und Steinarten in einander zu sehen glauben. In meinem examine hypotheseos de transmutationib. corp. mineral. denke ich diesen Irthum zu widerlegen. Meine 2te Abh. wird den Granit betreffen.

Ich hätte bald vergeßen Sie zu bitten, die mir aufgetragene recension von Haquet plant: carniolicis alpinis einem Andern zu geben; weil ich theils jezo am liebsten bei der Mineralogie bleibe, theils mag ich auch diesen h auctor nicht zu oft zu Leibe gehen. Das Büchlein ist übrigens so übel nicht, obschon auch dabei noch eins u andre zu erinnern wäre.

dh Prof. Hermann aus Wien habe ich hier noch getroffen; er ist aber jezt nach Sibirien gereist vor 6 Wochen, um zu sehen ob er da Krainer: Stahlhütten anlegen kann.

h v. Born ist in Wien vor 1 Jahr in Kupfer gestochen. Haben Sie die Güte mir gelegentl. dies Bild in einem saubern Abdruck zu verschaffen! Wer ist der Verfaßer von den in Breslau in 4to herausgekommenen Anmerk. über Silberschlags Geogenie? Was ist wohl an den bei Beigang in Leipzig zu habenden Carte corographiche   riguandanti le pietre del Patrimonio etc. fol. ?

Leben Sie recht wohl und behalten Sie lieb

Ihren
ergebensten Freund
u Diener

Ferber.

CATHARINA DE II.
ALLEENHEERSCHERESSE ALLER RUSSEN.

Rein.^r Vinkeles sculp. 1787.

Lieber Freund!   Petersb. d 25 Junii 84.

Es ist ein mal Zeit auf ihr angenehmes vom 29 Dec. 83. zu antworten.
Gott weiß, daß ich's gerne vorher gethan; aber - aber - in Petersb. geht
es anders, wie sonstwo. Also Verzeihung! Von den mir aufgetragenen Recens. sind leider nicht alle fertig; aber doch einige, die ich ihnen schicken
werde, so bald sich nur Gelegenheit trifft. Güßmans beitr. 2^r Theil ist am
weitläufigsten recens.; weil die Wichtigkeit der Materie schlechterdings so
fordert. Eben darum kann ich Ihnen diese recens. mit der theuren Post nicht
senden. Sie hatten mich zwar ersucht den 1sten Theil seiner Beitr. in der
Recens. kurz mitzunehmen; aber ne sutor ultra crepidam, pro primo, und
pro secundo würde die kurze Abfertigung des 1sten Theils gegen die lange
Recens. des 1sten /muß heißen: 2ten/ übel abstechen. Nehmen Sie also diesen nur selbst vor. Ist er so seicht, wie der 2te Theil, so verdient er ihre
Geißel. Man kann sich nichts elenderes denken, als das Räsonnement des
h G. obgleich er viel gereist ist und seine Logik sehr anpreist. Klipsteins
min. Briefw. 116^s 4^s St. habe ich noch nicht zu Gesicht bekommen, also
nicht recens. können, obgleich ich es hier bei allen Buchhändlern u bei Hartknoch in Riga (umsonst) habe suchen laßen. Gewißer maaßen haben die Franzosen Recht, wenn sie mit Le Nord einen eigenen Begrif verbinden. Hier
wenigstens erhalten wir alles so langsahm wie nur die Franzosen deutsche
Schriften kennen lernen.

Die meisten Bücher, die Sie mir voriges Jahr zum Recens. geschickt haben,
bis auf die, die Sie durch Beseke zurückbekommen haben, behalte ich für
mich auf Rechnung. Schuldig bin ich Ihnen, das weiß ich; aber wie viel jezt
nicht mehr. Schicken Sie mir die Berechnung. Ich will sie berichtigen. Gelegentl. sende ich Ihnen das neue herabgesetzte Bücher- und Charten-Verzeich-
niß der Akademie, mit erniedrigten Preißen, zum beliebigen Gebrauch.

Von der diesjährigen OM. erwarte ich die zu recensirende Bücher und ihre
Catalogen seit der OM. 1783, in duplo. Vielleicht sendet Ihnen Stengel in Mannheim auch ein Kästchen Mineral. für mich. Haben Sie mir Borns Bildniß in ♀
verschafft, so folge es auch dabei, so wie die Fortsezung ihrer eigenen Reisebeschreib:, worauf Sie mir die praenumeration zu Rechnung führen wollen,
die ich Ihnen noch rückständig seyn mag.

Born hat mir kürzl. geschrieben; antwortet aber nichts wegen meiner Vorstellung in Ansehung der wienerschen Antipathie gegen die Berliner Schriftsteller. Ich kann gar nicht glauben, daß mein guter Born irgend Theil nimmt
an die Vorurtheile seines Orts.

Meine große Gönnerinn und beste Freundinn in Mitau, die Frau Kammerherr-
rinn von der Recke gebohrne Gräfinn von Medem, Schwester d. regier. Herzoginn v. Curland, ist schon von Mitau auf Reise nach Carlsbad, wird Ber-

ne sutor ultra crepidam = *(etwa) Schuster, bleib bei deinen Leisten!*

Charlotte Elisabeth (Elisa) Constantia von der RECKE, geb. von Medem, geb. 1754 in Schönberg (Kurland), gest. 1833 in Dresden, wurde weniger durch ihre Gedichte als durch ihre Streitschriften gegen Cagliostro und den Hofprediger Starck sowie durch ihre Beziehungen zu Persönlichkeiten des europäischen Geisteslebens bekannt. 1784 trat sie ihre erste große Reise durch Deutschland an, um Genesung in Karlsbad zu finden. Wahrscheinlich war sie 1779 mit Ferber näher bekanntgeworden, als beide - allerdings unter verschiedenen Voraussetzungen - in die Cagliostro-Affäre verwickelt wurden. Ferber dürfte, ebenso wie der Hofrat Schwander und der Buchhändler Hinz, jener Partei angehört haben, die sich in Cagliostros Umgebung begaben, weil sie auch im Interesse der kurländischen Freimaurerei Einfluß auf die weitere Entwicklung der Geschehnisse behalten wollten. Die herzlichen Worte Ferbers in diesem Brief mögen dazu gedient haben, daß Elisa von der Recke in den Kreis der Berliner Aufklärung mit besonderem Entgegenkommen aufgenommen wurde. Ihre Freundschaft zu Nicolai und seiner Familie blieb ungetrübt. (DbBL, S.612)

Karl Wilhelm RAMLER, geb. 1725 in Kolberg, gest. 1798 in Berlin, lehrte seit 1748 an der Kadettenschule in Berlin. Befreundet mit Ewald von Kleist, Lessing, Nicolai, galt er bei seinen Zeitgenossen als einer der bedeutenden deutschen Dichter. Ebenso wie mit der Berliner Aufklärung verbanden ihn zahlreiche Beziehungen mit dem Königsberger Kreis um den Buchhändler Kanter, mit Hartknoch in Riga und dem in St.Petersburg wirkenden Dichter Heinrich Ludwig von Nicolay.

Johann Joachim SPALDING, geb. 1714 in Tribsees in Pommern, gest. 1804 in Berlin, war seit 1764 Probst an der Nikolaikirche in Berlin, später auch Oberkonsistorialrat. Er war einer der hervorragenden Vertreter der Aufklärung unter den evangelischen Theologen und bewies Konsequenz, indem er 1788 nach Erlaß des Religionsedikts von seinem Amt als Oberkonsistorialrat zurücktrat.

lin passiren u. wünscht Sie zu kennen, Ramler, Spalding, Engel und andre würdige Männer in Berlin. Sie ist unter dem Namen Elisa Verfaßerinn
der von Hiller gesezten geistl. Lieder etc. und große Liebhaberinn und
Kennerinn schöner Schriften. Ein vernünftiges Weib in allem Betracht.
Mehr brauche ich nicht zu sagen, um Sie zu bewegen, Ihr, wenn sich dazu
Gelegenheit darbietet, durch addressen und Nachrichten Dienstfertigkeit
zu erzeigen, die ich auf alle Art erwiedern will. Sie wird Sie, mein wehrtester Freund, ohne Zweifel besuchen; weil sie Sie aus ihren Schriften hoch-
schäzt, und mich gebeten hat, Sie Ihnen vorläufig bekannt zu machen. Wenn
Sie diese würdige Dame sehen und sprechen, so sagen Sie Ihr, daß ich Sie
von Herzen verehre und Ihren vernünftigen und angenehmen Umgang hier
recht sehr vermiße.

Leben Sie recht wohl! Geben Sie die Einlage gütigst ab! Ich bin stets

Ihr

aufricht. Freund u D^r

Ferber

Elisa von der Recke.
Gemalt von Anton Graff.

Mein lieber, theurer Freund,

Recht innigen warmen Dank sage ich Ihnen für alle Freude, die mir Ihr an-
genehmer Umgang in Berlin gewäret hat, und für alle Freundschaft, die
Sie mir erwiesen haben. Ich werde noch lange an die angenehmen Wochen
denken, die ich in Berlin zubrachte, und allezeit bedauern, daß ich von einem Orte, wo ich Sie und so viele andre brafe und würdige Männer als meine Freunde verehre, so entfernt lebe. Grüßen Sie von mir herzlich meinen
alten Freund: Engel, h Dohm, Biester, und alle die würdigen Gelehrten,
von welchen Sie wißen, daß ich sie kenne und hochschäze. Noch ein mal
sage ich's: es ist jammer u. Schade, daß ich Euch guten, helldenkenden
Menschen nicht näher bin, und für mich ein großer Verlust! Doch, Ihr
bleibt ja auch in der Entfernung mir gewogen!

Am lezten Julius alt: St. oder d 11 Aug. n.St. kam ich hier von meiner Reise wider zurück. In meinem Vaterlande bin ich sehr froh gewesen, habe den
König 3 mal gesprochen und viele Versicherungen seiner Gnade erhalten;
habe meine Sammlungen eingepackt, aber bis auf's weitere da noch stehen
laßen, und übrigens geschwärmt und geschmaust, was das Zeug nur halten wol-
te, bei Großen und bei Kleinen. Es ist da gegenwärtig vieles weit beßer als
vor dem. Nur bin ich zu kurz da gewesen, um mich von allem zu unterrichten.
Einige Bemerkungen mögte ich wünschen Ihnen mündlich mittheilen zu können.
- Zum Schreiben ist heute wenigstens die Zeit zu kurz etc. etc. Nachdem ich
hier wider zurück bin, haben sich so viele Geschäfte aufgesammlet, daß ich
viel zu thun habe, eh' ich wider in Ordnung komme. Meine gage für die 5 Monathe meiner Abwesenheit hat die Fürstinn, unsre Frau Directeur, in Ernst
mir zurückbehalten und gestrichen, so daß ich daran, außer den Kosten meiner Reise, einen Verlust von mehr als 600 Rubel leide. Das ist gewiß hart,
und, ich wage es zu denken, den Gesinnungen der Monarchinn so wenig ange-
meßen, daß Sie mir's sicher auszalen ließe, wenn Sie nur ein Wort davon
wüste. Wer wird es der Kaiserinn aber sagen! Also patience! Es soll uka-
senmäßig seyn; es wird aber in vielen Fällen davon dispensirt. Vielleicht
finde ich künftig Gelegenheit einen Ersaz meines Verlustes zu bekommen.

Nachdem ich hier zurück bin, habe ich theils von P. Euler theils von Past.
Schmidt einige Stücke der Bibliothek u ein paar andre gedr. Schriften erhalten. Durch den leztern schicken Sie mir nichts mehr, wenn es zu vermeiden
steht; denn ist das Päckchen dicker als ein Finger, so schreibt er spésen darauf, wofür man grauen muß. Zum Beweiß schließe ich Ihnen 2 Zettel bei vom
vorigen Jahre über 2 pakete damals erhaltner Recensionsbücher. Die noch
rückständigen Recens. werde ich schreiben u einschicken, so bald ich kann.
Im Restzettel A stehen aber noch 2 Recens. die ich schon selbst Ihnen in
Berlin gab, als ich sie zur Klubbe abhohlte, näml: Brückmans Beitr. 2te
Forts. und Hermans Reise 3s; und die Recension des 2^n Theils von Carosi
Reisen d. Pohl. habe ich schon längst verbeten. Den VI^n B^d der Abh. ein.

*Im März oder April 1785 war Ferber zu einer größeren Rei-
se aus St.Petersburg aufgebrochen und hatte bei dieser Gelegenheit auch Berlin besucht. Gleich nach seiner Rückkunft
verfaßte er diesen Brief.*

Christian Conrad Wilhelm von DOHM, geb. 1751 in Lemgo,
gest. 1820 in Pustleben bei Nordhausen, hatte Theologie
und Jura studiert und wurde Professor der Finanzwissenschaf-
ten und Statistik in Kassel. 1779 trat er als Geheimer Ar-
chivar mit dem Range eines Kriegsrates in preußische Dienste. Er kann als profilierter Vertreter der Judenemanzipa-
tion gelten. 1785, als Ferber ihn kennenlernte, war er im
Departement für auswärtige Angelegenheiten beschäftigt.
(Lit.: K.G. Bruchmann in NDB, Bd.4, S.42 f.)

Johann Erich BIESTER, geb. 1749 in Lübeck, gest. 1816 in
Berlin, studierte, ebenso wie Dohm und andere Berliner Auf-
klärer, bei Schlözer in Göttingen, mit dem er befreundet
war. 1777 wurde er Sekretär des Staatsministers Karl Abraham Freiherr von Zedlitz in Berlin, den er in seiner Schul-
politik unterstützte. 1784 wurde er 2.Bibliothekar an der
kgl. Bibliothek. Biester war Mitarbeiter der "Allgemeinen
deutschen Bibliothek" und gründete 1783 zusammen mit Gedike
die "Berlinische Monatsschrift", die als Organ der Berliner
Aufklärung gelten kann.
(Lit.: K.H. Salzmann in NDB, Bd.2, S.234)

Der von Ferber genannte KÖNIG ist Gustav III. von Schweden,
geb. 1746 in Stockholm, gest. 1792 in Stockholm. Seit 1771
König von Schweden, verstand er seine Macht gegenüber dem
Adel so zu stärken, daß er einige Reformen im Sinne des
aufgeklärten Absolutismus durchführen konnte.

Die FRAU DIRECTEUR ist die Fürstin Katharina Romanowna
Daschkow, geb. 1743 (oder 1744) in St.Petersburg, gest.
1810 in Moskau. Sie stand Katharina II. nahe und war an ihrem Staatsstreich beteiligt. 1783 bis 1796 bekleidete sie
den Posten des Direktors der Kaiserl.Akademie der Wissenschaften und des Präsidenten der Russischen Akademie.

Johann Albrecht EULER, geb. 1734 in St.Petersburg, gest.
1800 in St.Petersburg, ist der Sohn des bedeutenden Schweizer Mathematikers Leonhard Euler. Seit 1766 war er Professor der Physik und seit 1769 ständiger Sekretär der Akademie der Wissenschaften in Petersburg.

Die KLUBBE: Es handelt sich entweder um den MONTAGSKLUB
oder um den MITTWOCHSKLUB. Nicolai war Mitglied in beiden
geselligen Vereinigungen, die möglicherweise mit den Berliner Freimaurerlogen in Verbindung standen. Ferber war
während seiner Berliner Zeit Mitglied des Mittwochsklubs.

Priuatges. in Böhmen habe ich nicht mehr. Laßen Sie also nur den Inhalt durch einen andern anzeigen; denn bei solchen period. Werken ist nicht viel mehr zu thun möglich, wenn d. Bibliothek nicht zu stark anwachsen soll.

Das, was ich damals über meine Rechnung von OM. 1782 bis zur OM. 1783 erinnerte, müßen Ihre Leute übersehen haben; weil die damal. Irrungen zu einigen neuern in den 2 leztern Rechnungen Anlaß gegeben haben, wozu auch noch einige spätere Errata hinzugekommen sind. Damit alles wider in Ordnung komme, zeichne ich Ihnen alles, was ich zu erinnern habe, auf den einliegenden Blättern No 1 et 2 auf, und ersuche Sie darnach alles berichtigen zu laßen und mir davon Nachricht zu geben.

Die Stelle des bewusten Werkes, die ich Ihnen anzeigen sollte, ist Tom: 1. Caput 2dum.

Kennen Sie d. O^n Koldin, der die Geschichte Columbi zum Symbol. Wesen nimmt. Grady 1^s dicitur Sherik, 2^s Thorik 3^s Eques.? Verba valent ut nummi. Man pflanzt 1 mal im Jahre auf einen gewißen Tag im Sommer ein hölzernes + auf einer Insel.

Zu welchem Preiße könnten Sie mir wohl d. allg: deutsche Bibl. vom 1sten bis inclusive d 52^n Band, mit allen Anhängen, außer dem lezten /: vom 37 - 52 B. :/ für einen Freund verschaffen, der sie gerne haben mögte, wenn es ihm nicht zu theuer fiele?

Sie sind in Pyrmont gewesen. Der Himmel gebe Ihrer, mir schäzbahren Gesundheit, von der BrunnenCur alle mögl. Stärke und Hülfe!!!

Ich habe noch an Niemand in Berlin, außer heute an Ihnen, bester Freund, geschrieben. Also sagen Sie es vor der Hand nur wenigen. Nächstens schreibe ich an verschiedene. Heute habe ich nur noch Zeit Ihnen zu versichern, daß ich mit ewiger Freundschaft u Hochachtung bin u bleibe

der ihrige

Ferber.

Petersb. d 19 Aug. alt.St. 85.

1.BEILAGE zum Brief Nr.44
(am linken Rand die Bemerkungen Nicolais)

<u>No.1.</u> Errata in den 3 lezten Rechnungen, die ich von Herrn Nicolai
in Berlin erhalten

Prof.Beseke hat
mir bloß zugege-
ben von Ihnen zu-
rückerhalten zu
haben; und ausbe-
zahlt:
1 Hacquet planta
carniol 1 rth 6 gr
1 Arbeiten von
Born   20 gr
Habe ihm diese an-
geschrieben
Ihnen gutgeschr.

1) in der Rechnung von OM.1782 - OM.1783 groß 34 rth 10 gr.
worin mein Rest 14 rth 14 gr angesezt werden.
Davon geht ab:

Abh.d.Böhmsch.Gesellsch. 5^r	-	1 rth ჳ gr.
Haidinger Vom K.Nat.Cabinet	"	8
Sage Kunst u zu prob.	-	8
Beob. über d.Gebirg (bei Königsh:)	1	- 12

/: ist von mir schon 1781, laut damaliger
Rechn. bezalt :/

rth. 3   8 gr.

sind durch P.Beseke
in Mitau zurück ge-
sannt. Vielleicht hat
er sie für sich behalten,
da er auch in Rechnung
steht.

Voraustehende 3 rth 8 gr. von dem angegebenen Reste 14 rth 14
abgezogen, blieb damals wirklicher Rest 11 rth 6 gr

2) in der Rechnung für die übrigen Monathe von 1783, groß
16 rth 5 gr, sind obige 14 rth 14 gr als Rest in mein Debet
gesezt. Wenn statt deßen nur 11 rth.6 gr angerechnet werden,
so wird meine Schuld in dieser Abschließung 6 rth. 21 gr,
wogegen sie zu 10 rth 5 gr angesezt ist.

3) in der kürzl. erhaltenen Rechnung p 1784 ist meine vorige
Schuld, vermuthl. durch einen Schreibfehler zu 11 rth. 12 gr
angegeben, da sie doch nach der vorangehenden Rechnung nur
10 rth. 5 gr betrug, und an sich, wie ich No 2 gezeigt habe,
wirklich nicht größer ist, als 6 rth. 21 gr.

Wenn dies demnach abgeändert wird und nachstehend mir zur Last
geschriebene Bücher, aus anzuführenden Ursachen abgezogen werden; so bleibt mein Rest in dieser Abschließung nur 9 rth. 11 gr.
Die abzuziehenden Bücher sind:

ist Ihnen gut
geschrieben und
auf das Conto
von Recens.Bü-
chern indessen
gesetzt.
Sind Ihnen
gleich bei der
Zurückgabe gut-
geschrieben

Hamiltons Beob. über Vulkane, die ich zurücksen-		"	16 gr.
den werde, weil ich sie schon französ. habe			
Abh.böhmische 6^r	die ich im Buchladen in	1 -	4
Carosi Reisen 2^r	Berlin selbst zurückbrachte,	"	21
	als ich etwas Geld für P.Be-		
	seke auszalte		

2 rth. 17 gr.

NB Carosi Reisen 2^r B. ist mir in der lezten Rechnung 2mal ins
debet gebracht; ist mir auch wirkl. 2mal oder doppelt gesannt worden. Das eine Ex. habe ich nur behalten; das andre zurückgebracht.

Auf h Nicolai Reise d.Deutschl. habe ich, laut der Rechnung von OM
1782 - OM.1783, auf 1-4 B. mit 5 rth. 16 gr. praenumerirt; aber auf
den 5^n, 6sten und noch folgende Theile, bis jezt nicht. Ich habe aber
nur den 1^n, 2^n und 5sten Theil erhalten, den 3^n u 4^n gar nicht.
Von d. allgem.deutsch.Bibliothek habe ich alle mir nach Petersburg,
seitdem ich hier zuerst ankam, gesannte Stücke richtig bekommen,
nur nicht folgende:
des 55sten B^s 1^s, 56sten B^s 1^s u 2^s, 61sten B^s 2^s St.
und des Anhangs z. 37-52 B^e, 2te Abtheil. /: die 3 andern Abth.
habe ich :/

2.BEILAGE zum Brief Nr.44

<u>No.2.</u> In künftiger Rechnung mir zu debitirende Bücher, die ich
<u>erhalten oder behalten habe</u>

Brückmann V Edelst. 2te Fortsez	10 gr
Stütz Min. Gesch. v. Österr.	6 --
Halle Stahl zu härten	4 --
Hacquet phys. pol.Reise 2 Thle	4 --
-- miner. Lustreise	
Habels beiträge	5 --
Praenumeration auf H Nicolai	
Reise 5^r 6^r etc.	

vertatur

/Rückseite/
p.M.
<u>Meine Auslagen für d.allg.deutsche Bibliothek</u>, seit März 1782,
für porto u Bücherfracht, sind:

1) noch in Mitau bis zu Ende Junij 1783		
13 1/2 Sechser oder PreußCt.		21 gr
2) hier in Petersburg		
bis zu dato d 19^n Aug.a.St. 85		
3 Rubel 38 kop oder	3 rth	14 gr
Pr:Ct	4 rth	11 gr

151

Petbrg d 2n Januar
alt St. 1785. /muß heißen: 1786/

Mein theuerster Freund,

Auf Ihr überaus angenehmes vom 31sten Decemb: neu:St. und die darin geschehene Anfrage antworte ich ja! ja! ja! Also affirmative im höchsten grade! Ein mehreres erfahren Sie bald nach Empfang dieser Zeilen. Ich bin und
bleibe

ganz der Ihrige
Ferber.

Grüßen Sie herzl. unsern lieben Rosenstiel! Versäumen Sie künftig ja nicht
den Posttag!

Kommentar zu Brief 45

*Den ersten kurzen Brief schickte Nicolai mit einem Begleit-
schreiben an den Minister von Heynitz, der ihn dann mit der
Bemerkung: "mit Dank für die baldige Nachricht. von Heinitz"
zurückreichte. Das Begleitschreiben lautete:*

*"Des Königl.wirkl.Staats-Kriegs- und dirigierenden Ministers
von Heinitz Excellenz haben mir durch den Herrn Bergrath
Rosenstiel den Auftrag gemacht, Herrn Ferber in St.Peters-
burg zu sondiren, ob er wohl nach einem geschehenen Vor-
schlage, den Ruf nach Berlin annehmen wollte. Ich habe heute darauf von Ihm die vorläufige Nachricht nur mit zwey
Worten erhalten, daß er diesen Ruf anzunehmen gedenkt, und
daß er das nähere mit einem der nächsten Posttage melden
werde. Ich halte es für meine Schuldigkeit Ew.Excellenz
das vorläufig gehorsamst zu berichten.*

Fr. Nicolai
. Berlin d 28. Jan. 1786"

Petersb. d 2n Januar alt.St. 1786.

Gestern, mein lieber Freund, erhielte ich in Ihrem Schreiben vom 31sten
Decemb. n.St. und in dem beigeschloßenem billet, welches der brafe würdige BR. Rosenstiel geschrieben, das angenehmste Neujahrsgeschenk, welches ich nur erwarten konnte. Tausend Dank für alle Ihre Freundschaft;
danken Sie auch Rosenstiel für seine, die er mir erweist; und haben Sie nicht
Selbst Gelegenheit, so tragen Sie Ihm auf, dem vortreflichen M. v.H. Ex.
meine unauslöschl. Ehrerbietung und innigstes Gefühl von Pflicht und Dankbahrkeit gegen deßen gütige Gesinnungen gegen mich auf's kräftigste zu versichern! Da ich diesen Herrn als den rechtschaffendsten Menschenfreund und
als meinen nie genung zu verehrenden Gönner, so wie seine Einsichten und
Liebe in und zu den Bergwerkswißenschaften, seit mehrere Jahren kenne und
schon viele Beweiße Seiner Wohlgewogenheit genoßen habe; so überlaße ich
Ihm mit voller Zuversicht mein künftiges Schicksaal und bin bereit die gemachte proposition anzunehmen, nur mit der Bitte, daß alles, so bald, als
nur möglich, beschleuniget und mir der förml. Ruf je ehr je lieber, auf die
sicherste Art, wozu Gr. Goerz leicht Mittel anzeigen kann, zugefertiget werde, damit ich mich hier frey machen, meine Sachen veräußern und sodann
abreißen kann. Sie sehen leicht ein, theuerster Freund, daß hier und auch
bei Ihnen alles in der Stille und mit Verschwiegenheit abgethan werden muß,
und daß ein Brief auf der Post gerade an mich leichter der Neugierde ausgesezt ist, als wenn er auf andre art, wäre es auch nur unter couvert eines sichern Kaufmanns, so wie ich diesen abfertige +, fortgeschickt wird. Auch
stellen Sie sich leicht vor; daß keine Zeit zu versäumen ist, wenn ich zu gehöriger Zeit soll fertig werden können, wobei vielleicht hier noch, welches
ich nicht vermuthen will, Aufschub zu machen versucht werden könnte, obgleich ich mir bei meinem engagement expresse vorbehalten habe, hier beim
Anfordern meinen Abschied ohnverweigerlich zu erhalten. Doch damit wird
es wohl zurechte kommen, wenn ich ihn erst fordern kann; und da ich hier
jezt unzufrieden zu seyn Ursache habe, so werde ich so bald ich es sicher
thun kann, keine Zeit dabei versäumen. Freilich sehe ich ein, daß 1000 rTh
gegen meinen hiesigen Gehalt, der Ihnen bekannt ist, und außer welchen ich
noch frei quartier und Holz bekomme, ein merklicher Abschlag ist; allein,
da vor der Hand nicht mehr gegeben werden kann und ich vor Begierde brenne
in Berlin zu wohnen, unter einem solchen Chef, wie H ist, zu arbeiten, und
Seines und so vieler andrer einsichtsvoller und guter Menschen umgang zu
genießen, die Vortheile zu geschweigen, die der Ort einem Gelehrten, der
seine Wißenschaft liebt, darbietet: so begnüge ich mich willig vor's erste
mit 1000 rTh, wenn, wie ich von der Gnade meines hohen Gönners mit Zuversicht erwarte, derselbe mir verspricht künftig für die Verbeßerung meiner
Umstände nach seinem menschenfreundl. Herzen Sorge zu tragen. Rang und

+ am besten auf doppelte Art, so wie ich es jezt thue,

Tituln haben bei mir keinen eigenthümlichen Werth; weil sie aber doch durch die Mode beinahe unentbehrlich geworden sind und auf réelere Dinge Einfluß haben, so verachte ich sie nicht. Wenn nun also vor der Hand kein OberbergrathsTitul gegeben werden kann; so mache es der verehrungswürdige Minister in diesem Stücke jezt, wie es nach den Umständen Ihm am dienlichsten scheint. Professor bin ich, Rath soll ich werden. Mir ist jezt gleich viel, wie ich heißen werde. Sein Wort mich künftig auch in diesem Punkte zu befördern, wird mich darüber völlig beruhigen. Überhaupt, liebster Freund, da ich den edlen H kenne, verehre und wenn ich's sagen darf, wie meinen Vater liebe und allezeit lieben werde; so überlaße ich Ihm mit vollem Zutrauen Alles, und weiß, daß Sein gutes Herz schon künftig für mich sorgen wird. Gott erhalte Ihn nur bei langem Leben und Gesundheit; so wird mir nichts fehlen! Er mache deswegen, was Er kann und wolle! Ich nehme von Seiner Hand alles mit Dank an. Wie sehr freue ich mich, mein lieber Freund, daß ich Ihnen so nahe kommen werde! Seitdem ich Sie kenne, schäze und liebe ich Sie gewiß recht hoch. Wie schöne Hofnung habe ich nun, meine Lieblingswißenschaften zu cultivieren und die phys. Erdkunde weiter zu treiben, als hier mögl: ist! Da ich in B. zu wohnen komme, so genieße ich alle, hier mangelnde Vortheile der Litteratur. Nur fein bald gemacht, daß die Sache bald, ja bald zu Stande kommt!

Weil ich ein mal Academicus hier bin; so könnte es wohl gut seyn, wenn ich es in B. auch würde. Aber, da vors erste dabei kein Gehalt bei der jezigen Franzosen race zu hoffen seyn mögte; so liegt mir nichts daran. Bin ich es jezt doch schon ohne mein Bemühen von 13. Acad: u gel. Gesellschaften, nachdem mich nun vor 1 Jahr die Turiner Acad: auch dazu ernannt hat. Ohnehin würde dies Bemitteln die Hauptsache nur aufschieben, und Aufschub leidet sie keineswegs, aus Gründen, die ich nicht schreiben kann. Also die ganze akad. association vor jezt aus dem Sinn! Bin ich ein mal da, vielleicht geschieht es so dann; wo nicht: transeat gloria mundi! multum, o! quantum est inarte in rebus! Sie sehen nun liebster Nicolai, daß ich die conditionen, so wie sie sind, jezt annehme und künftige Zusäze und Verbeßerungen H, diesem brafen, edlen Manne überlaße. Sein Wort, wodurch er mir dazu Erwartung macht, wird bei mir zuverläßige Hofnung und Zufriedenheit bewirken. Er ist mein Gönner und will mir wohl. Das weiß ich und dabei bin ich ganz ruhig. Also nur die Sache bald zu Ende!

Mein gutes Weibchen, die hier weder gesund noch froh ist, dankt Ihnen auch für ihre Freundschaft! Empfehlen Sie mich Rosenstiel, allen Bergbeamten, KR. Dohm, unserm Engel, Biester, und wie alle unsre lieben Freunde heißen.

Ich bin ohnabläßig von Herzen

der Ihrige

Ferber.

P.S. Mehrere Recens. habe ich in brouillon fertig. Einige sind darunter zu Bücher angewachsen; also für d. Bibl. zu stark, bis ich sie umarbeite. Dazu hat mir seit einiger Zeit, so wie zu aller Arbeit Lust gefehlt, wegen hiesiger Verdrieslichkeiten. Gott helfe mich wohl zu Ihnen! Dann wird alles beßer gehen.

Der Freund, wie ich ihn nannte, weil er sich so stellte, will jezt die allg. Bibl. nicht kaufen. Zwar sagt er ja; will aber Credit haben. Damit wollen wir uns der Sicherheit wegen nicht abgeben.

P.S. Fragen Sie Rosenst. ob es nicht mögl. wäre, daß ich eine kleine Hülfe zum Reisegeld bekäme? Geht es nicht an, so muß ich schon sehen, wie ich es mache. Das soll kein Hinderniß sein. Durch meine lezte Reise ist mein Beutel eingeschrumpft.

Kommentar zu Brief 46

Die Zusage Ferbers wurde von Friedrich Nicolai mit folgendem Begleitschreiben an den Minister von Heynitz weitergereicht (der Entwurf von Nicolais Hand liegt bei den Ferber-Briefen):

"Des Königl.wirkl.Staats-Kriegs und dirigierenden Ministers Freyherrn von Heinitz Exzellenz, habe ich die Ehre anliegend des Herrn Ferbers Brief gehorsamst vorzulegen, worin er Ew.Exzellenz Ruf hierher annimmt. Er wirft sich ganz in die Arme seines Gönners, der gewiß für Seine künftige Verbesserung sorgen wird.
Ew.Exzellenz stelle ich gehorsamst anheim, wie nun die Sache ferner einzuleiten, und so bald als möglich zu beendigen sey. Ich erwarte dero Befehle, was ich an Herrn Ferber antworten soll, und besonders ob ich ihm Hofnung zu einiger Vergütung der Reisekosten machen kann. Wollten Exzellenz etwa selbst geruhen, an ihn zu schreiben, so würde es freylich wohl am besten seyn, den Brief unter einer fremden Addresse abgeben zu laßen, und ich erbiete mich allenfalls, sie durch einen sichern Freund zu besorgen.

F. Nicolai
Berlin d. 31.Jan.1786"

Johann Eustach Graf GÖRTZ, geb. 1737 in Schlitz (Oberhessen), gest. 1821 in Regensburg, war seit 1779 preußischer Botschafter in St.Petersburg, hatte aber, als dieser Brief geschrieben wurde, Rußland bereits wieder verlassen. (W.Stribrny in NDB, Bd.6, S.538 f.)

Mein liebster Freund,   P. d. 6. Februar: 1786
                                                            17.

Sie haben von mir hoffentl. zwei Briefe beide vom 2^n Januar alt:St:, einen
directe, den andern unter couvert, erhalten, und ich sehe seit dem jedem
Posttag und einer Antwort von Ihnen, mit größtem Verlangen, aber bisher
vergebens, entgegen. Warum? können Sie leicht errathen; und neue Ursachen sind nachher hinzugekommen, die mein Verlangen vermehren. Ich will
Ihnen nur melden, daß ich aus verschiednen Gründen hier bereits meinen
Abschied gefordert und schon in der Art erhalten habe, daß ich bis zum lezten Tag des gegenwärtigen Monaths hier in Diensten bleibe, aber in den ersten Tagen des Märzmonaths von hier mit meiner Familie nach Kurland reiße. Noch vor der Zeit hoffe ich gewiß von Ihnen noch hier gute Briefe zu erhalten, dem gemäß, was ich, in Beziehung auf Ihr leztes Schreiben vom 31^n
Decemb: neu.St., antwortete. Sie wißen daraus daß ich Ihre proposition sim-
plement annahm und in dieser Entschließung findet bei mir keine Veränderung
statt, wenn ich nur die Gewißheit der Sache erfahre, und wie ich sehr wünsche, bald erfahren mögte! Sollten Sie mir aber wider Vermuthen dann nicht
schon geantwortet haben, wenn Ihnen gegenwärtige Zeilen zu Händen kommen;
so addressiren Sie ihren Brief nicht ferner hieher nach Petersb. sondern
nach Mitau, und schlagen Sie darüber einen couvert an meinen Schwager Herrn
Peter Bienemann, Hofgerichtsadvocat in Mitau; denn länger als bis in den ersten Tagen des Märzmonaths bleibe ich nicht hier, wo fern Gott für Krankheit
behüthet. Genung für diesmal! Ich bin und bleibe
                                                    der Ihrige

                                                        Ferber.

Kommentar zu Brief 47

*Als Ferber um seine ENTLASSUNG IN PETERSBURG nachsuchte,
war seine Berufung in Berlin noch keineswegs gesichert.*

*Am 28.Februar 1786 schrieb Rosenstiel folgendes Billet an
Nicolai:*
*"Von unserm Ferber u. dem nähern engagement desselben habe
ich weiter noch nichts gehört. Ich hoffe aber posttäglich
auf bestimmtere Nachrichten. So viel weis ich, daß 3 andere Mineralogen an seine Stelle vorgeschlagen worden, deren
einer in Leipzig, einer in Freyberg, und einer in Friede-
berg am Queis in Niederschlesien wohnt - und daß dieser
Vorschlag von Berlin aus geschehen ist. - Das Geheimnis
wegen Ferbers Reise nach Schweden ist übrigens bey mir
wohlverwahrt. -*

                                        Rosenstiel "

P. d. 6. Febr. 1786.

Mein theuerster Freund!   Da Capo.

Erst vor 2 Stunden erhielte ich ihr Schreiben vom 4 Febr. neu: St. und muß
eilig antworten, weil die Post eilt. Ich habe schon heute ein anderes Schreiben an Ihnen unter couvert abgehen laßen, worin ich Sie benachrichtige, daß
ich d lezten Febr. alt: St. hier ganz frei werde, nachdem ich meinen Abschied gefordert und erhalten habe. Wenn keine Krankheit hindert, reiße ich
d 1sten März alt. St. von hier ab nach Mitau, wo ich von Ihnen und von dem
edlen Minister v.H. unter addresse an meinen Schwager: Hofgerichtsadvocat Peter Bienemann Briefe vorzufinden hoffe, oder erwarte. Kaum hatte ich
hier Abschied gefordert, so kam der schwed: und andre Min: zu mir mit Pro-
positionen; aber mit nichten; ich gehöre von nun keinem andern, als H.
Diesen Herrn kenne ich schon lange als einen Mann von Einsicht, Eifer und
bestem Herzen. Was will ich mehr? Seine Anerbietungen sind vor der Hand
gut, und Er sorgt gewiß weiter für mich. Er ist ein Mann von Wort, ein Menschenfreund, in aller Absicht ein verehrungswürdiger Mann, der mir jezt
und schon lange vorher unbezweifelbahre Beweiße seiner gnädigen Gesinnungen gegen mich gegeben hat. Ich gehe also nirgends als nach B. Welche Freude, liebster Nicolai, bei Ihnen zu seyn! Ob ich vorher über Warsch. nach
Wien gehen soll, darüber habe ich in diesem Augenblick dem würdigen Min:
ausführl. geschrieben in der Einlage die ich Sie gleich abzugeben bitte. Ich
zweifle daß ich Erlaubniß bekomme die galliz., ung: u österr. Bergwerke zu
besehen, so gern sie mir Born schaffen mögte. Allein, wenn ich nur bei ihm
komme, werde ich doch gewiß viel vortheilen. Er ist mein wahrer Freund.
Ich richte mich darin und in allen Stücken nach h v.H. Befehlen, die ich mir
deßhalb erbitte. Ich werde es allen Menschen verheelen, daß ich ein engagement habe. Zu diesem Endzweck wäre die Reise über Wien und Freiberg auch
nüzlich. Am leztern Orte würde ich meine alte Bergbauskunde auch wider ins
Gedächtniß rufen, da ich schon so lange kein A...leder angehabt habe. Indeßen werde ich mich wohl bald wider hineinpaßen. Für das accordirte Reisegeld, es sey über Königsb. oder W. welches mir der gütige Minister accordirt hat, habe ich vergeßen zu danken. Thun Sie es doch für mich! In Eil
läst sich nicht alles schreiben. Würde ich über Wien gehen sollen, so müste
ich meine Frau u Tochter besonders nachkommen laßen, die dazu gewiß 300
rThr brauchten, von hier aus gerechnet, obschon ich sie gleich nach Curland mitbringe. Meine tour wäre dann separat, und würde freilich viel mehr
kosten. Ich überlaße aber dies alles dem h v.H. und bin mit seiner Bestimmung auf alle Fälle zufrieden. Vielleicht würde seine Gnade mir, wenn ich
erst öffentl. engagirt wäre, Vorspann verschaffen können für meine Familie; doch dies wird Er selbst thun, wenn es thunlich ist; wo nicht, so bin ich

ich so zufrieden, und werde schon sehen, wie ich es mache. Genung: ich
bekomme Reisegeld, wie Er es determinirt hat, und ich komme mit den

Meinigen, sollte ich auch hinkriechen, so lieb ist es mir unter H. zu stehen und in B. zu leben. Worin es mir der Min: erleichtern kann, das thut
er gewiß nach seinen biedermännischen Charakter, ohne daß ich Ihn erst
darum ersuchen darf; denn Er ist Selbst auf Reisen gewesen und weiß also,
daß viel aufgeht. Was der Min: nicht ohne Bedenklichkeit oder Weitläuftigkeit thun kann, das will ich von einem so würdigen Mann gar nicht verlangen. Ich sehe Ihn wie meinen Vater an, der mir giebt, was Er kann, und
den ich nicht mit unpaßenden Bitten schwer fallen mag.

Liebster Nicolai! Ich muß schließen um meinen Brief noch fort zu kriegen,
so gern ich mehr schwazte. Also Adieu! Nun antworten Sie mir nach Mitau
und nicht mehr hieher. Sagen Sie dh v.H. Exc. wie sehr ich Ihn verehre,
und bleiben Sie mein Freund! Ich bin gewiß

der Ihrige
Ferber.

P.S. Entschuldigen Sie mich bei dem Min: daß ich so flüchtig und ohne gebührende Curialien geschrieben habe. Die Zeit war zu kurz.

P.S. Der Min: schreibt mir: er wolle an Ihnen, 1: Freund, meine Vocation
zur Verwahrung übergeben. Dies ist gewiß ein Beweiß seiner edlen Gesin-
nung, und in omnem possibilem eventum eine Sache von Wichtigkeit. Nehmen Sie sie also an und heben Sie sie bei sich auf, bis wir uns will's Gott
sprechen.

2do das Reisegeld, was mir der Min: Exc. bestimmt, es sey nun um über
Königsb. oder über Warsch. u. Wien zu gehen, welches leztere dem Min.
wahrscheinl. nicht gereuhen würde, da es sicherl. Vortheil brächte, so viel
ich Born kenne, laßen Sie mir nach Mitau in Ducaten gestelt und berechnet
remittiren. Nur müste es damit nicht lange währen, damit ich in der Reise
nicht aufgehalten würde, fals ich darauf warten müste.

3° Weil mein Brief unter Freunden couvert geht, addressire ich ihn gerade
an Ihnen, um nicht noch einen Umschlag zu machen.

Brief 49   ab: 26.2.86 n.St.   an: 13.3.86   beantw.: ?

Ich hoffe, mein wehrtester, lieber Freund, daß Sie mein leztes Schreiben
vom 6sten Februar alt. St., welches eine Antwort auf Ihr leztes vom 4^n
Febr:neu:St. enthielte, und mit einer Einlage beschwert war, wohl und
richtig empfangen haben. Diese Zeilen dienen nur mich darauf zu berufen
und Ihnen zu melden, daß ich d 1 März wirkl: von hier abreise, und von Ihnen ein Schreiben in Mitau vorzufinden hoffe, welches Sie unter couvert an
meinen dortigen Schwager, h Hofgerichts Advocat Peter Bienemann abzu-
senden belieben. Adieu!

Petersb. d.15^n Febr:alt.St. 1786.   Der Ihrige   Ferber.

Mitau d. 30^n März 1786.

Ich bin endlich vor ein paar Tagen, mein theuerster Freund, nach einer be-
schwerl.Reise,mit meiner Familie hier glücklich angekommen. d 2ten März
alt.St. verlies ich Petersb. aber erst am 11ten /:oder 22sten neu:St.
:/ kam ich in Riga an, ohnerachtet wir 3 Nächte durchgereiset waren, die
Wagen auf Schlitten gesezt hatten und vor unsre leichte équipagen, worauf
nur 2 kleine coufferts standen /: das übrige geht theils durch Fuhrleute
hieher, theils künftigen Sommer zu Waßer nach Lübec von Petersb. ab :/
zwölf Pferde anspannen musten und mit extrapost reiseten. Die Ursachen
dieser langsahmen und kostbahren Reise war einzig und allein der in unge-
heurer Menge im Februar gefallene Schnee, ungebahnte Wege und zulezt das
eingetroffene starke Thauwetter, welches noch continuiret. In Riga muste
ich mich, um meine Frau und Tochter wider ausruhen zu laßen, 2 Tage aufhalten und kam hier also d 25sten März neuen St. des Abends an. Mit der
lezten Post konnte ich Ihnen noch nicht schreiben; weil die Frau v. R: auf
dem Lande war, obgleich ich Ihr Schreiben vom 4^n März n:St. schon hier
bei meinem Schwager vorfand. Ich kam ohnehin Abends spät hier an, und es
war weder Zeit zu schreiben noch den Brief auf d. Post zu bringen, welche
den morgen darauf früh abgieng. Durch unsre Freundinn die Kammerherrinn
habe ich jezt die 100 1/2 Ducaten Reisegeld richtig bekommen, welche der
würdige Minister mir durch Ihre Vermittlung, lieber Freund, zu überma-
chen die Güte gehabt. Mögte ich jezt nur meine weitere Reise nach Berlin
sogleich vornehmen können! Ich würde ohne Zeitverlust es thun, wenn es
leider nicht unmöglich wäre jezt von hier abzureißen, indem alle Ströhme
und Gewäßer im Begrif sind aufzugehen, die Wege durchaus verdorben sind,
und dadurch selbst der Lauf der reitenden Post aufgehalten und verspätet
wird. Es hat seit 8 Tagen entweder geregnet oder stark gethauet, und das
Eiß ist überall in Kurland über die Bäche falsch und gefärlich zu paßiren,
welches dies Jahr ungewöhnlich früh eintrifft.Gebe Gott, daß der Eißgang,
wie aller Anschein ist, bald vor sich gehe und daß wir keine große Über-
schwemmungen bekommen! So bald es nur irgend möglich wird, reiße ich
von hier ab; und sollte ich nicht wagen können Frau und Kind mitzunehmen,
so muß ich sie dieweil hier laßen, sie im Frühling nachreißen laßen, und
vor der Hand allein kommen, um nichts zu versäumen, so beschwerlich und
kostbahr es mir auch werden würde. Es ist recht fatal, daß der Winter sich
dies Jahr so bald endiget; allein wider die Elemente kann man nicht streiten.
Sie sollen erfahren, wie bald es thunlich wird von hier abzugehen, und dann
säume ich keinen Augenblick. Ob ich aber vor Ostern wegkommen kann, läst
sich leider nicht bestimmen. Ich melde es so bald möglich und dann auch,
ob ich Frau u Tochter mitzunehmen wagen darf, und trage Ihnen die Besorgung des Absteigequartiers auf. Schade ist es, daß ich jezt nicht nach Wien
komme, wo ich durch meinen Freund Born wegen der amalgamat. methode
und vieler andrer merkwürdigen Einrichtungen gewiß Auskunft und viele

nüzl. Nachrichten haben würde, wie auch herrlich Stufen in Menge. Allein, da unser vortrefl. Gönner, der Min:, meine Ankunft bald nöthig findet, so wünschte ich heute lieber als morgen mich auf den Weg nach B. begeben zu können. Hoffentl. werden des Min. Exc. durch d M. Luches. bald näher erfahren, was S.M. nach seinen gnädigen Äußerungen über mich, bestimmen. Ich verlaße mich mit voller Zuversicht auf d. Gnade des Min: und bin Ihm für alle seine höchst gnädige Gesinnungen gegen mich unendlich verbunden. Wäre ich doch nur erst in B! Hoffentl. haben Sie, lieber Freund, mir nun schon von neuem hieher unter d. Kh. R. couvert geschrieben und vielleicht was seit ihrem oberwänten Briefe vom 4^n März geschehen, gemeldet.

Sie können vollkommen versichert seyn, daß durch mich kein Mensch etwas von meinen engagement in B. erfährt. Ich sage hier wie in Petersb., daß ich nach Ital. reiße und da privatisiren will. Auch wenn ich von hier nach Königsberg fortkommen kann, wird es heißen, daß ich über Königsberg nach Warschau und so ferner über Wien nach Ital. reiße. Allein so hier wie in Petersb. trägt man sich mit Mutmaßungen herum und bringt Gerüchte aus, bald daß ich nach Schweden, bald daß ich nach B. gehe. h Alb. Euler ist in P. besonders geschäftig seine Vermuthungen auszustreuen und da er wöchentl. mit Formey correspondirt und diese beiden sich alles Geklatsch und Gerüchte von beiden Oertern ausführl. mittheilen, so könnte es wohl seyn, daß die Akademisten in B. von d. franz. Parthey auf allen Fall sich vorsehen. Ich denke aber, daß wenn d. König etwas befielt, die Franzosen doch wohl schweigen müßen. Herrlich wäre es, wenn der König mich zum Oberbergrath ernannte, so wäre die Sache gemacht; doch der gütige Min: wird schon machen, was sich machen läst. Schäzte und liebte ich nicht diesen außerordentl. guten Mann so sehr wie ich's thue, so wäre ich noch zulezt in große Versuchung gekommen in Petersburg zu bleiben. Die Mon: mischte sich durch einen ihrer geh. Secret. mit ins Spiel, und man bot mir 2500 à 3000 Rubel mit Colleg:Raths Rang, wenn ich als Demonstrateur du Cabinet Imperial und Rathgeber des Gen: Sojmenof, der Chef der Chatoullen Bergwerke im Colywanschen ist, bleiben wollte. Aber meine Neigung in Berl. zu leben, um h v. Hein: zu seyn und Ihren mir wehrten Umgang, lieber Freund, zu geniesen, machten mich dagegen unfühlbahr. Ich gab vor, daß ich mit einigen Freunden, die das Geld fournirten, übereingekommen wäre, einige Jahre eine literar. Reise zu machen, und also wenigstens vor der Hand nicht mich in Rußl. engagiren könnte. Von einem andren engagement, welches ich weder brechen konnte noch wollte, schwieg ich. Jezt haben Sie ohne Zweifel schon nicht nur meinen lezt ausgebliebenen 2^n Brief vom 6^n Febr: sondern auch einen spätern vom 17^n Febr: wohl erhalten. Weil beide der Sicherheit wegen unter verschiedne couverten abgefertiget werden musten, und die Kaufleute vielleicht einen Posttag später, als sie sollten, schrieben: so kann der Verzug daher rühren. Gott helfe mich nun bald zu Ihnen! Ich denke, daß ich hier noch mit nächster Post vielleicht von Ihnen einige Zeilen erhalte; auch könnten Sie mir nach Königsberg schreiben und den Brief bei dh Geheimerath u Graf von

Am 16.Februar 1786 war ELISA VON DER RECKE von ihrer großen
Reise zurückgekehrt, auf der sie Freundschaft mit der Fami-
lie Nicolai geschlossen hatte. Durch sie ließ nun auch Nico-
lai im Auftrage des Ministers von Heynitz das Reisegeld für
Ferber auszahlen. Sie erscheint in diesem Brief Ferbers als:
Frau v.R. / Kammerherrin / d.Kh.R. / unsere R..n

MON. = Monarchin, d.i. Katharina II.

Girolamo LUCCHESINI, geb. 1751 zu Lucca, gest. 1825, wurde
1780 Kammerherr bei Friedrich II., der ihn wegen seiner um-
fassenden Bildung schätzte, und Mitglied der täglichen Tisch-
gesellschaft beim König. Lucchesini vermittelte zahlreiche
Beziehungen des preußischen Hofes zu italienischen Gelehrten. Unter Friedrich Wilhelm II. war er als Diplomat tätig.
(ADB, Bd.19, S.345 ff.)

Jean Henri Samuel FORMEY, geb. 1711 in Berlin, gest. 1797
in Berlin, entstammte einer französischen Emigrantenfamilie.
Er studierte in Berlin, wurde 1737 Professor am dortigen
Französischen Gymnasium, 1748 Sekretär der Akademie der
Wissenschaften und 1788 Direktor der Philosophischen Klasse.
Als Philosoph bedeutungslos, stellte er durch seinen Briefwechsel wichtige Beziehungen zur gelehrten Welt seiner Zeit
her. Nach seiner Ernennung zum Mitglied der Akademie der
Wissenschaften dürfte Ferber nicht mehr so negativ über
Formey geurteilt haben. Es hat sich jedenfalls ein Brief
erhalten, in dem er Formey mit überaus herzlichen Worten
zur Genesung von einer Krankheit gratuliert und ihm eine
lange Wirkungszeit für die Akademie wünscht.

Petr Aleksandrovič SOJMONOV, geb. 1737, gest. 1800, war von
1784 bis 1792 Direktor der Bergschule und von 1778 bis 1793
einer der Staatssekretäre Katharinas II. Als solcher hatte
er auch die Oberaufsicht über die Kabinetts-, Berg- und Hüt-
tenwerke am Altai (die Kolyvano-Voskresensker Werke) und bei
Nerčinsk in Ostsibirien. Die Bergwerke der Kaiserlichen Scha-
tulle wurden vom Kabinett verwaltet. Nach dem Tode Katharinas
war er von 1796 bis 1799 Präsident des Kommerzkollegiums.

Christian Heinrich Reichsgraf von KEYSERLINGK, geb. 1727 in
Lesten (Kurland), gest. 1787 in Königsberg, studierte in
Leipzig und Halle und war dann, meist in Verbindung mit seinem Vater Hermann Karl Graf von Keyserlingk in sächsisch-
polnischen und russischen diplomatischen Diensten tätig.
Nach dem Tode seines Vaters (1764) zog er sich nach Königsberg zurück, wo sein Haus vor allem auch seiner geistrei-
chen Frau wegen zum geistigen Mittelpunkt für die gebil-
dete Welt Königsbergs und die durchreisenden Gelehrten
wurde. Er verfaßte u.a. "Einige Grundsätze der Staatsklug-
heit in zehn Abhandlungen, vorgetragen von Cäsareon", die
1773 bei Hinz in Mitau erschienen.

Kaiserling abgeben laßen. Ich melde Ihnen von hieraus, wenn ich abreißen kann, säume damit nicht länger, als es unvermeidlich ist, und bin und blei-be von ganzem Herzen

der Ihrige

Ferber.

P.S. Unsre R..n ist ganz voll von Ihnen! Empfehlen Sie mich und die Mei-nigen Ihrer vortrefl. Frau Gemahlinn ergebenst.

FRIEDRICH NICOLAI.

Mitau d 13 April 1786.

Mein liebster Freund,

In allen Stücken berufe ich mich auf mein Schreiben hier aus Mitau, welches bald nach meiner Anherokunft abgieng, und melde Ihnen jezt, daß ich
d. 2ten Ostertag von hier mit meiner Frau und Tochter nach Königsberg
abzureisen denke. Früher ist es hier unmöglich gewesen wegzukommen.
Eißgang, Austreten der Flüße und impracticable Wege haben es gänzlich
verhindert, und es läst sich nichts anders vermuthen, als daß unsre Reise
auch noch jezt höchst beschwerl. werden müße. Indeßen kann und mag ich
nicht länger verweilen. In Königsberg denke ich nur einen Tag zu bleiben,
im Fall Frau und Tochter die fatiguen nur aushalten, und komme sodann gerade nach B. mit extrapost durch Westpreußen. Ich habe außer Frau und
Tochter nur einen Bedienten, kein Dienstmädchen, mit, und ersuche Sie für
mich ein Absteigequartier, wo möglich in Ihrer Nähe, von 3 à 4 Zimmern,
mit nöthigen Betten und Meubles, auf 1 à 2 Monathe zu bedingen, so, daß ich
bei meiner Ankunft bei ihrem Hauße vorfahren und von da in's Quartier fahren kann. Da ich im Anfange das incognito beobachten soll /:gewißermaaßen:/
so läst sich vor der Hand ein beständiges Quartier nicht suchen. Das muß bis
weiterhin ausgesezt bleiben. Ich komme auch fast ohne alle équipage oder nöthigen Sachen, Betten, Kleider etc. welche zu Waßer über Lübec erst nachkommen können. Außer dieses Absteigequartier zu besorgen, muß ich Sie
noch um eine andre Gefälligkeit bitten. Den Menschen, den ich als Bedienten mithabe, kann und mag ich nicht länger als bis Berlin behalten. Haben
Sie also die Güte für mich einen guten treuen Menschen zu suchen und bis zu
meiner Ankunft für mich zu engagiren. Wenn er frisiren und rasiren kann,
wird es mir sehr lieb seyn. Diesen können Sie nach Landes sitte und wie Sie
es gut finden, auf 1 ganzes oder halbes Jahr engagiren und üblichen Lohn
versprechen. Was Sie ihm accordiren, wird mir recht seyn.

Haben Sie nun noch die Güte dHrn v. H. meinen Respekt und meine Abreise
von hier zu melden und mich Seiner Gewogenheit bestens zu empfehlen. Aus
Königsberg schreibe ich wider, und hoffentl. finde ich da von Ihnen einen
Brief. Ach! Freund, wie froh werde ich seyn, wenn ich Sie erst umarmen
kann. Meine Frau und Tochter empfehlen sich mit mir Ihnen und Ihrem ganzen Hause ergebenst. Ich bin und bleibe der ihrige

                                        F.

Brief 52   ab: 23.4.86   an: 2.5.86   beantw.: ?

Memel d. 23.April 1786.

Bei meiner Ankunft hieher gestern Nachmittag fand ich einige Zeilen von Ihnen, theuerster Freund, hier vor mir, so wie ich auch am Vorabend meiner Abreise aus Mitau Ihren Brief vom 30sten März mit vielem Vergnügen erhielte. Sie werden nun auch schon mein leztes Schreiben aus Mitau, worin ich um die Bestellung des Absteigequartiers und um die Annahme eines guten Bedienten bat, wohl erhalten haben. Heute gehe ich nach Königsberg mit den Meinigen ab, wo ich ein à 2 Tage Frau und Kind ausruhen laßen werde. Und sodann vermuthl. mit extrapost nach B. eile. Aus Königsberg schreibe ich Ihnen wider ein paar Zeilen. Da ich es nur in größtem Eil thun kann, und meinem verehrungswürdigem Gönner dh v.H. Exc. nicht so flüchtig und unordentl. schreiben mag, als es wegen Müdigkeit und Kürze der Zeit unvermeidlich seyn würde; so bitte ich Sie inständigst, diesem edlen, lieben Herrn jedesmal bald von dem Fortgang meiner Reise Nachricht zu ertheilen und demselben meine große Verehrung und gehorsahmste und aufrichtigste Ergebenheit kräftigst zu versichern. Das Reisen ist in hiesigen Gegenden noch sehr beschwerlich und ermüdend; aber der Gedanke, bald in B. um den vortrefl. M. zu seyn und Sie, mein l. Freund, zu umarmen macht mir alles leicht. Empfehlen Sie mich bestens. Ich bin ganz

der Ihrige **F.**

Brief 53   ab: 23.4.86   an: 2.5.86   beantw.: ?

In confidenza.

Liebster Freund!

Umliegender Brief ist zum Vorzeigen; dieser für Ihnen allein. Gott lob, daß ich nun bald mit Ihnen mich mündlich werde unterhalten können! Weil aber die OM. so sehr herannahet, so eile ich Sie vor Ihrer Abreise nach Leipzig noch in B. anzutreffen und wenigstens einige Tage zu genießen. - Ein Absteigequartier werden Sie wohl schon für mich besorgt haben, imgleichen einen guten Bedienten, der in der Stadt Bescheid weiß. Es wird sich wohl irgend ein gutes Speißquartier in der Nähe finden wo ich bis zur Ablegung des incognito und eigner Einrichtung für mich und meine Familie Eßen hohlen oder mir bringen laßen kann. Daß ich übrigens freilich wünsche, das incognito bald ablegen zu können, ist leicht zu errathen. Es wird mich freilich ein wenig in allen Stücken geniren. An der Herzoginn von Curland habe ich eine große Gönnerinn; aber Ihr Herr ist mir Feind, und würde gewiß mir alles mögl: in den Weg legen, wenn er könnte. Zum Glück aber höre ich hier, daß man ihn dort schon kennt, und daß sein Ansehen beim Kr.Pr: nicht viel bedeute. Praeveniren Sie h v.H davon, damit Er allenfalls seinen machinationen zuvorkomme, wenn er welche machen sollte. Gewiß ist es, daß sowohl er als auch viele andre Leute Augen machen werden, wenn sie hören, daß ich in B. bin. Die Akademisten dürften vielleicht schon durch Eulers Eingebungen und aus angebohrner Menschenliebe, so wie lezt, sich in Positur gesezt haben. Doch, es wird ja wohl alles gut gehen! Der Min. wird schon auf alle Fälle bedacht gewesen seyn. Wenn nun dann mein engagement fest und öffentl. bekannt seyn wird, so ist mein 2ter Wunsch, daß der Min: mich diesen Sommer, wo möglich, in Berlin bleiben ließe und mich zu keiner Reise aufforderte. Nicht allein bin ich durch die gegenwärtige sehr ermüdet; sondern ein neues häußliches etablissement, besonders da alle meine Sachen, (außer Meubles) zu Waßer erst nachkommen, fordert auch seine Zeit. Ich müste ohnehin zuvor in B. mich von allem zu unterrichten Zeit haben, eh' ich mit Nuzen die Bergwerke bereißen könnte, und da meine Frau in B. noch unbekannt ist, so mögte ich Sie und meine Tochter nicht zu früh wider allein zurücklaßen. Suchen Sie, liebster Freund, discursiue, als wenn es nicht von mir käme, den Min. zu diesen plan zu disponiren. Ich zweifle nicht an seine Einwilligung.

Ein Dienstmädchen oder Stubenmädchen zur Aufwartung für meine Frau und Tochter brauchte ich nothwendig. Wenn nicht das incognito, was ich beobachten soll, dadurch verlezt würde, so mögte ich sie gern bald annehmen. Überlegen Sie dies, bester Freund, und fals Sie finden, daß es angeht /: wie ich doch glaube, da sich Niemand daran stoßen kann, daß Frauenzimmer weibliche Bedienung brauchen :/ so ersuchen Sie in meinem und meiner Frau Namen Ihre würdige Frau Gemahlinn, der wir unsre gehorsahmste Ergebenheit und Hochachtung versichern, für uns eine solche Person anzunehmen. Daß sie mit Nähwerk und Wäsche umzugehen verstehe, brauche ich nicht zu erinnern. Ich überlaße dies alles Ihrem Gutfinden, wie Sie es für den Anfang am schicklichsten und thunlichsten finden. Betten werden ja für uns und Domestiquen wohl für Geld zu miethen seyn, bis unsre eigene aus Petersburg zu Waßer über Lübec nachkommen können.

Mehr fält mir jezt nicht bei. Verzeihen Sie mir alle Bemühungen, die ich Ihnen verursache! Wir empfehlen uns sämtlich Ihnen, Ihrer Frau Gemahlinn und lieb: Familie aufs beste. Ich bin und bleibe von Herzen der Ihrige   F.

Brief 54   ab: 9.5.86   an: 12.5.86   beantw.: 13.5.86

Berlin d. 9 Maj 1786.

Ich bin, mein theuerster Freund, d 5^n d.M. hier mit meiner Frau u Tochter glückl. angekommen, habe durch Ihre gütige Vorsorge ein gutes logis vorgefunden, und genieße von Ihrer würdigen Frau Gemahlinn so viele Höflichkeit und Freundschaft, daß ich nicht genung dafür danken kann. Daß Sie aber nicht hier sind und erst zu Ende des Monaths aus Leipzig widerkehren, ist für mich nicht wenig fatal. Ich habe Ihnen viel wichtiges zu sagen, was sich nicht schreiben läst, und was Sie eben so wenig errathen können, als ich es vermuthete. Das Ihnen Bekannte bleibt zwar in statu quo; ich reiße aber so bald ich Sie nur erst werde gesprochen haben, über Leipzig, Dresden, Prag nach Wien. Wie bald wir uns dann widersehen, weiß ich nicht. Mehr werde ich Ihnen mündlich sagen. Mit unveränderlichen Gesinnungen bleibe ich bis dahin und lebenslang   Ihr

treuer Freund und Diener   F.

Tausend mal willkommen, mein geliebter wehrtester Freund!

Ich habe auf Ihnen wie auf den Meßias, gewartet. Theils kann ich heute
vormittag nicht wohl auskommen; weil ich heute Nachmittag den Huth
unterm Arm /:bei Min: v Zedliz:/ haben muß und es sehr stürmig ist,
theils will ich Sie auch erst ausruhen laßen; aber wenn ich Sie heute
n.M. nach 2 Uhr zu Hause treffe, so komme ich zu Ihnen. Schon gut,
daß Sie hier sind!   Ihr
d 30^n Maj.   Ferber.

Leipzig d. 23 Junius 1786.

Durch einen nicht angenehmen Zufall bin ich wider mein: Vorsaz heute noch
hier; habe aber dadurch das Vergnügen Ihr Schreiben, 1: Freund, unter
h Kummers addresse, erhalten zu haben. Meine Tochter war von Hize und
Staub krank worden, und hat hier diese Tage über mediciniren müßen; ist
jezt aber so gut wider, daß wir diesen Abend noch nach Dresden abreißen.
Von dort aus schreibe ich Ihnen weitläuftiger. Unterdeßen hat mir Ihre Zuschrift hieher viele Freude gemacht, und ich bitte Sie inständigst, dieses
meinem verehrungswürdigem Gönner nebst meinen Respekt zu vermelden,
bis ich aus Dresden an Ihn selber schreibe, unter ihrem couvert. Ihrer
wehrtesten Frau Gemahlinn und ganzem Hauße empfehlen wir uns alle auf's
beste.

                                         Ihr
                                         Ferber.

P.P.
Hiebei eine Einlage, wie Bewust: zu übersenden. Wegen meiner Sachen
aus Pet. u Mitau schreibe ich jezt, daß sie an h Sieuers in Lübec und die
Mspte an h Jacobi in Koenigsberg abgesandt werden sollen. Lezterer be-
fördert den Kasten durch Fuhrleute an Ihnen, ohne ihn öfnen zu laßen!
In Lübec bleiben die Kisten in trockner guter Verwahrung bis auf nähere
Nachricht stehen: Praeveniren Sie von allem h Sieuers u h Jacobi bald.

h HR. Oesfeld empfehlen Sie uns bestens und danken Sie Ihm verbindlichst
für das schöne Frühstück, was Er uns auf der Reise nach Leipzig vorsezen
lies. Es mangelt mir an Zeit, diesem gütigen Freunde selbst schriftl. dafür zu danken.

Vergeßen Sie nicht, wegen künftiger correspondence an die Hren Bruckner,
Grattenauer und Kummer zu schreiben, damit sie die Briefe an Georgi,
Vogt und Bienemann befördern.

Karl Abraham Freiherr von ZEDLITZ, geb. 1731 in Schwarz-
walde bei Landshut in Schlesien, gest. 1793 in Kapsdorf
(Schlesien), war Kammergerichtsrat, Regierungsrat und Re-
gierungspräsident in Breslau und wurde von Friedrich dem
Großen 1770 zum Geheimen Staats- und Justizminister ernannt. Seit 1771 war ihm auch das Departement der Kirchen-
und Schulsachen unterstellt. Als Anhänger der Philosophie
Kants und in enger Beziehung zu der Berliner Aufklärung
stehend, unterstützte er Bestrebungen zur Förderung der
Volksbildung und einer freieren Geisteshaltung in den hö-
heren Schulen und Universitäten. 1788 unter Friedrich Wilhelm II. mußte er das geistliche Departement an Wöllner
abtreten. Erich Biester, ein enger Freund Nicolais, war
von 1777 bis 1784 sein Sekretär und besorgte seine literarischen und pädagogischen Geschäfte.

Wahrscheinlich der Buchhändler Paul Gotthelf KUMMER in
Leipzig, der später in der Organisation des Buchhandels
eine bedeutende Rolle spielte.

Karl Ludwig OESFELD, geb. 1741 in Potsdam, gest. 1804 in
Berlin, war kgl.Preußischer Hofrat und Rendant der mittel-
märkischen Ritterschaftskasse in Berlin. Er verfaßte topo-
graphische Beschreibungen und zeichnete Landkarten und Plä-
ne u.a. zu Nicolais "Beschreibung der kgl. Residenzstädte
Berlin und Potsdam".

Ernst Christoph GRATTENAUER, Buchhändler in Nürnberg.

BRUCKNER, wahrscheinlich Brucker in Augsburg.

Mit VOGT könnte hier der Sohn von Ferbers 1782 verstor-
benem Freund gemeint sein; dieser Joachim Friedrich Voigt
war Ferbers Schüler in der Academia Petrina gewesen.
Vielleicht bezieht sich dieser Satz aber auch auf eine
Abmachung, die die Verschlüsselung von Briefen betrifft.
Tatsächlich wurden ja die Briefe Nr. 57 und 58 an Fried-
rich Nicolai unter der Deckadresse Vogt in Mitau und
Bienemann in Libau geschickt.

Dresden d. 27 Junii 1786

Mein voriges aus Leipzig wird h Partey wohl schon übersannt haben. Hier
habe ich das Vergnügen gehabt Ihr Schreiben vom 19^n d.M. durch W. richtig zu erhalten. Der Einschluß von Bünemanns Hand giebt große Zufriedenheit. Es war mein Vorsaz von hieraus an H Eberhard selber zu schreiben,
wenn ich aber erwäge, daß dieser vortrefliche Mann wahrscheinl. schon
nach Frankfurt abgegangen ist, und daß ein Blatt, bei der ungewißheit, wo
es Ihn treffen kann, leicht verlohren gehen mögte: so übertrage ich Ihnen,
bester Freund, Ihm den Inhalt dieses Briefes gütigst mitzutheilen, und zugleich meine aufrichtigsten Gesinnungen der Dankbahrkeit in solchen Ausdrücken zu schildern, als ich selbst erwält haben würde, fals obige Bedenklichkeit mich nicht vom Schreiben abhielte. Ich denke künftigen Donnerstag
von hier nach Prag abzugehen und Freiberg diesmal nicht zu besuchen, weil
ich, um in Wien zu rechter Zeit einzutreffen, keine Zeit zu versäumen habe, und, wie man mich hier versichert hat, weder den Berghauptmann noch
Charpentier antreffen würde.

Mit h Messer habe ich Rücksprache gehalten. Er verspricht die commission
aufs beste auszurichten und dabei so haußhälterisch, als möglich, zu verfahren. Da er aber voraussieht, daß die Antwort über Costanz und nachher,
wenn es nöthig ist, über Zürich etc: ihm Kräuter genung zu stehen kommen
werde, und daß die Anstalten zum Kabinet anlegen viele Zeit und weitläuftigkeit verursachen würde, wodurch überhaupt Aufenthalt der Sache entstehen könnte; so glaubt er, es wäre am Besten, zuverläßigsten und in mehrerer Betrachtung am vorsichtigsten, wenn h Eberhard durch Vermittlung
des h Groschke von h André in Hanau an Messer ein Vergiß mein nicht nach
Frankenthal, unter couvert an h Friedrich daselbst, bei Zeiten abfertigen
ließe, wovon er denn keinen andern als gehörigen und nothwendigen Gebrauch machen würde. Ob übrigens Kaufmann wirklich nach Zürich kommt,
hängt, wie bekannt, von den Umständen ab. Geschieht es nicht, z.B. im
Fall Erhard verdrieslich wird, Papier in Stuhl nicht zu hoch läuft, oder
das Verwenden grünet, ey nun, so sind weniger Grillen anzuwenden nöthig,
und man kann sie sich ersparen, welches beim übernehmen sich finden
wird. Haben Sie die Güte dieses alles h Eberhard zu sagen oder wenn Er
schon nach Frankfurt ist, durch Jäger oder directe zu melden.

Wir alle sind jezt gesund und grüßen herzlich

Ferber beobachtete in den Briefen 57, 58, 59 besondere Vor-
sichtsmaßnahmen, da seiner Reise nach Wien der offizielle
Charakter genommen werden sollte. Brief 57 ist an "Herrn
Vogt in Mitau. p couvert" adressiert, nicht unterschrieben
und verschlüsselt. Er war an Nicolai gerichtet, der durch
Anmerkungen in roter Schrift die Verschlüsselung aufgelöst
hat. Da wegen des schlechten Papiers der Text schwer lesbar
und die Tinte verblaßt ist, kann die Entschlüsselung nicht
in allen Fällen mit Sicherheit gedeutet werden:

Dresden d.27 Junii 1786

Mein voriges aus Leipzig wird h Pàrtey wohl schon übersannt haben. Hier habe ich das Vergnügen gehabt Ihr Schreiben vom 19^n d.M. durch W. (Walther) [wohl der Buchhändler
und Verleger in Dresden] richtig zu erhalten. Der Einschluß von BÜNEMANNS Hand (des Prinzen v.Pr. [?, also des
Kronprinzen] giebt große Zufriedenheit. Es war mein Vorsaz
von hieraus an H EBERHARD [Minister von Heynitz, wie aus
dem vorhergehenden Brief und der Entschlüsselung weiter
unten erschlossen werden kann. Auch in den folgenden Briefen wird dieser Deckname gebraucht] selber zu schreiben,
wenn ich aber erwäge, daß dieser vortrefliche Mann wahrscheinl. schon nach FRANKFURT (Schlesien) abgegangen ist,
und daß ein Blatt, bei der ungewißheit, wo es Ihn treffen
kann, leicht verlohren gehen mögte: so übertrage ich Ihnen, bester Freund, Ihm den Inhalt dieses Briefes gütigst
mitzutheilen, und zugleich meine aufrichtigsten Gesinnungen der Dankbahrkeit in solchen Ausdrücken zu schildern,
als ich selbst erwält haben würde, fals obige Bedenklichkeit mich nicht vom Schreiben abhielte. Ich denke künftigen Donnerstag von hier nach Prag abzugehen und Freiberg
diesmal nicht zu besuchen, weil ich, um in Wien zu rechter
Zeit einzutreffen, eine Zeit zu versäumen habe, und, wie
man mich hier versichert hat, weder den Berghauptmann noch
Charpentier antreffen würde.
Mit h MESSER (Ferber) habe ich Rücksprache gehalten. Er
verspricht die commission aufs beste auszurichten und dabei so haußhälterisch, als möglich zu verfahren. Da er aber
voraussieht, daß die Antwort über COSTANZ (Klagenfurt) und
nachher, wenn es nöthig ist, über ZÜRICH (Zweybrücken) etc:
ihm KRÄUTER (Geld) genung zu stehen kommen werde, und daß
die Anstalten zum KABINET ANLEGEN (Geld schicken) viele
Zeit und weitläufigkeit verursachen würde, wodurch überhaupt Aufenthalt der Sache entstehen könnte; so glaubt er,
es wäre am Besten, zuverläßigsten und in mehrerer Betrachtung am vorsichtigsten, wenn h EBERHARD (H.v.H. Exc.) [also
der Minister von Heynitz] durch Vermittlung des h GROSCHKE
(Nicolai) von h ANDRÉ IN HANAU (Brucker[?] in Augsburg) an
MESSER (Ferber) ein VERGISS MEIN NICHT (Creditbrief) nach

Wien d. 16.Aug. 1786.

Nachdem Sie, mein l. Freund, Ihr Schreiben vom 30sten Jul. abgesannt
hatten, werden Sie ohne Zweifel durch h Kummer mein voriges aus Wien
vom 26sten Jul. richtig erhalten haben. Ich bat Ihnen darin zu veranstalten, daß ich bis medium Septembris hieher eine assignat: auf einen banqr
über 150 à 200 $\#$, unter h v.Borns couvert erhalte, und widerhohle hiemit diese Bitte; weil ich gegen die Zeit Geld brauche. Ich bat Ihnen zugleich mich bei h Eberhard zu entschuldigen, daß ich nicht auch an Ihn
schreibe, welches mir unmögl. fällt. Daß Sie diese beide meine Aufträge
gehörig besorgen werden, daran läst mir Ihre Freundschaft nicht den ge-
ringsten Zweifel hegen. Auch halte ich mich überzeugt, daß Sie in Lübec
bei h Sieuers und in Königsberg bei h Jacobi die nöthigen Erinnerungen und
Vorschriften wegen meiner aus P. u M. ankommenden Sachen gemacht haben, damit die in Lübec sicher und trocken gestellt; der Kasten aber in
Königsberg, wie verabredet, weiter befördert werde.

Jezt sind wir in Begrif in diesen Tagen nach Schemnitz abzureisen. Da Sie
Wien nicht kennen, so würde ich freilich sehr viel interessantes von diesem
schönen Orte zu schreiben haben, womit ich aber verschieben muß, bis wir
uns irgendwo wider sehen und nach alter Art im Garten promeniren gehen.
Ihnen und Ihrer ganzen l. Familie empfehlen wir uns alle aufs beste und
zärtlichste. Ich bin unveränderlich

der Ihrige

Ferber.

Wien d. 11.Octob.1786

Weil Sie, wehrtester Freund, auf Nachrichten von mir begierig seyn werden; so melde ich Ihnen nur kurz, daß ich übermorgen Wien verlaße und
gerade nach Prag reiße, wo ich 1 à 2 Tage, wegen meiner Familie und wegen des zu erhaltenden Rescripts nach Joachimsthal, werde ruhen müßen.
Sodann reiße ich ohne Verzug nach Joachimsthal um die von Ungarn in der
Beschickung etc. verschiedenen àààtionsanstalten zu sehen, womit ich in
2 höchstens 3 Tagen fertig werde; und dann gehe ich gerade über Commo-
tau u Marienberg nach Frejberg. In diesem Orte hoffe ich von Ihnen einige
Zeilen vorzufinden und werde Ihnen gleich umständlicher, als jezt, schreiben. Leben Sie unterdeßen so wohl, als ich es wünsche, und empfehlen Sie
mich ihrem ganzen Hause und Hrn Eberhard aufs ergebenste und beste.
Ich bin unveränderlich

Ihr ergebenster

Ferber

FRANKENTHAL (Wien), unter couvert an h FRIEDRICH (v.Born)
daselbst, bei Zeiten abfertigen ließe, wovon er denn keinen
andern als gehörigen und nothwendigen Gebrauch machen würde.
Ob übrigens KAUFMANN (Ferber) wirklich nach ZÜRICH (Zweybrücken) kommt, hängt, wie bekannt, von den Umständen ab.
Geschieht es nicht, z.B. im Fall ERHARD VERDRIESLICH WIRD
(der König stirbt), PAPIER (Quecksilber [?]) in STUHL (Wien)
nicht zu hoch läuft, oder DAS VERWENDEN GRÜNET (Amalgamation
ohne Nutzen), ey nun, so sind weniger GRILLEN (Thaler) anzuwenden nöthig, und man kann sie sich ersparen, welches
beim ÜBERNEHMEN (Rechnung abnehmen) sich finden wird. Haben
Sie die Güte dieses alles h EBERHARD (v.Heynitz) zu sagen
oder wenn Er schon nach FRANKFURT (Schlesien) ist, durch
JÄGER (Rosenstiehl) oder directe zu melden.
Wir alle sind jezt gesund und grüßen herzlich

Der Brief 57 wurde offenbar über Friedrich Parthey, der
zum Freundeskreis um Elisa von der Recke, Ferber und Nicolai gehörte, Nicolai übersandt.

Kommentar zu Brief 58

Dieser Brief ist adressiert an "Herrn Bienemann in Libau.
Wie bewußt zu befördern". Er war an Nicolai gerichtet. Dieser veranlaßte alles sofort, wie aus dem folgenden Schreiben des Ministers von Heynitz hervorgeht, der sich im oberschlesischen Malapane (Kreis Oppeln) befand.
"Hochedelgebohrner
und Hochzuverehrender Herr!
Euer Hochedelgebohren empfangen anliegend eine Anweisung
an die Königl.Hauptbergwerks- und Hüttencaße zu Wiederer-
stattung Ihrer, nach Ihrem geehrten, heute mir zugekomme-
nen Schreiben vom 5^n d.M. für H^n Prof.Ferber gethanen Auslage, von 450 rth^n Golde.
Ich bedaure, daß ein Brief von H^n Ferber, von welchem ich
lange nichts gehört, verloren gegangen. Wenn Euer Hochedelgebohren ihm schreiben: so sagen Sie ihm zugleich, daß er
seine Zurückreise nach Berlin möglichst beschleunige und
sich, wenn es seyn kann, zu Anfang künftigen Monats, gegen
welche Zeit ich auch dahin zu kommen hoffe, dort einfinde.
Es wird sich dann hoffentlich bald Gelegenheit finden, ihn
des jetztregierenden Königs Majestät vorzustellen. Sollte
auch mein Rückweg über Breslau führen, so werde ich die Gelegenheit wahrzunehmen suchen, bey des Herrn EtatsMinistre
von Hoym Excell. falls es nöthig seyn sollte, Ihrer guten
Absicht bey Bekanntmachung der Mißbräuche des Katholicis-
mus u. geheimen Proselytenmacherey das Wort zu reden. Ich
sollte aber wohl mit Wahrscheinlichkeit vermuthen dürfen,
daß Ihre Besorgniße von nachtheiligen Eindrücken ohne hin-
längl. Grund sind.   Ich beharre mit aller Hochachtung
Malapane-Hütte   Euer Hochedelgebohren ergebenster
d. 14^n Sept. 1786   v Heinitz

Mein lieber Freund,   Frejberg d 6sten Nouembr. 1786.

Heute vor 14 Tagen, oder d 23. October, als am Tage meiner Ankunft aus
Wien hier in Frejberg, schrieb ich an Ihnen und Ihrem couvert an S. E.
dH^{rn} Min. v. H., meldete meine Anherokunft und bat um Nachricht, was
nach geschehener Veränderung in der Regierung, in Ansehung meines förml:
engagements von S. E. bewirkt seyn mögte, damit ich solches vor meiner
Ankunft in Berlin hier erfahren und nicht ferner als ein Fremdling da auf-
treten dürfte. Schon lange hätte ich hierauf Antwort haben können und glaub-
te sie sicher bei meiner Rückkunft aus Joachimsthal vorzufinden. Bis diese
Stunde aber habe ich keine Zeile bekommen und bin deswegen nicht wenig
unruhig. Sind meine vorgedachten Briefe nicht eingetroffen? Ist der würdige Minister krank? Ist noch nichts wegen meiner decidirt? Oder finden die
guten Gesinnungen des Min: abermals neue, unerwartete Schwierigkeiten?
Warum schreibt mir Freund Nicolai wenigstens nicht einige Zeilen, damit
ich wiße, wie die Sache stehe?

Ich gestehe Ihnen, wehrtester Freund, daß ich mir hierin nichts erdenken
kann, welches die Ursache wäre, warum Sie mich so lange in der Ungewißheit laßen, da doch ein Brief bis Berlin nur 3 Tage läuft, und die Post von
dort 5 à 6 Mal in der Woche hier eintrifft, theils über Dresden, theils über
Leipzig! Es kann seyn, daß morgen oder übermorgen von Ihnen Antwort
eingeht; in der ungewißheit davon aber, will ich keine Zeit versäumen Ihnen
meine schon lange Erwartung derselben zu melden, damit Sie auf allen Fall
mir wenigstens gleich nach Erhaltung dieser Zeilen schreiben mögen. Addressiren Sie ihren Brief hieher nur gerade an mich, und schreiben Sie darauf, daß ich bei dem H^n Cammerherrn und Oberberghauptmann von Heinitz
hieselbst zu erfragen bin, so bekomme ich ihn richtig; denn Werner ist seit
mehrern Monathen abwesend. Bis ich von S. Exc. dh Minister oder von Ihnen Antwort habe, bleibe ich hier. Sie können aber leicht glauben, daß ich
nun einmal mit Grund wünsche, in dem Orte meiner Bestimmung bald zur
Ruhe und häußlichen Einrichtung zu kommen und folglich von hier wegzuge-
hen. Gerade zu nach Berlin zu reißen eh' mein engagement formél und bestimmt worden ist, davon halten mich viele Gründe ab, und auch die Betrachtung, daß es selbst dem Minister nicht angenehm seyn könnte. Ich weiß
überhaupt jezt nicht wie die Sachen dort stehen; so viel aber weiß ich gewiß,
daß ich dort unverdienterweiße Neider habe, und daß überhaupt heimliche
Kabalen und Gegenarbeitungen gespielt werden. Ziehen Sie mich bald aus der
Unruhe, worin ich mich befinde, darum bittet Sie auch meine Frau, die sich
mit mir und meiner Tochter, des Hrn v. H. Exc, Ihnen und Ihrer ganzen
Familie aufs gehorsahmste, ergebenste und freundlichste empfiehlet. Ich
bin mit alter Treue
                              Ihr
                                    aufricht. Freund   F.

Brief 61   ab: 17.11.86   an: 24.11.86   beantw.: ?

Frejberg d. 17^n Nov: 1786.

Vor wenigen Stunden erhielte ich, mein wehrtester Freund, Ihr Schreiben
vom 13 Nov: und zugleich hatte ich die Ehre von S.Exc: dh Min. von Heinitz
einen Brief zur Antwort auf meinen leztern zu empfangen. An S.E. dh Min.
schreibe ich aus Dresden oder vielmehr von hieraus noch eh' ich abreiße,
weil der Brief noch immer eh'r eintrift, als ich es thun kann, obschon ich
künftigen Montag /: jezt ist Sonnabend Abend :/ Frejberg verlaße und gerade über Dresden nach Berlin gehe. Ihnen trage ich nur hiemit in Eil auf,
Sich unter der Hand zu erkundigen, wo ich in Berlin werde quartier miethen können, und vors erste mir 2 Zimmer, die geheizet werden können,
bei Mme Ziese gegen die lezten Tage der bevorstehenden Woche zu bestellen. Den Tag meiner Ankunft kann ich unmöglich bestimmen, da die Tage
kurz, die Wege schlecht sind, und Dresden 1 à 2 Tage wegnimmt. Genung,
ich komme sobald nur möglich! Melden Sie dies im voraus S.E. dh M.
v.Heinitz und zugleich meinen Respect. Ich schreibe an Ihn gewiß mit nächster Post, es sey, daß ich vor der Abreise den brief hier oder auch bei der
Ankunft in Dresden auf der Post gebe. Heute ist es nicht mehr Zeit, da die
Post eben fort will.

Ihr

Ferber.

NB Ich brauche zum beständigen Wohnen in Berlin ein geräumiges und
meublirtes Quartier. Geräumig muß es seyn wegen meiner großen Mineral-
sammlung, meublirt weil ich keine meubles noch habe. Von Ihnen habe ich
vom 16 Octob. keine Sülbe erhalten. Ist auch gar nicht auf d. Post zu erfragen.

Addio, addio!

Kommentar zu Brief 61

*MADAME ZIESE besaß das Wirtshaus "König von Portugal" in
der Burgstraße unweit des Teltower Tores. Es gehörte der
ersten Klasse an. Das bei weitem beste Hotel in Berlin
war damals "Stadt Paris" in der Brüderstraße in Kölln.
Die Einteilung in drei Klassen erfolgte durch das Polizei-
direktorium. Für zwei Zimmer dürfte Ferber in diesem Hotel
etwa ein bis zwei Thaler gezahlt haben.*

Verzeichnis weiterer, hier nicht abgedruckter Briefe:

23.Dez.1787
Begleitschreiben für Rezensionen, worunter eine über
"Werners Klaßifik." stark und weitläuftig geworden ist,
weil Ferber "es aber bey seinem Ansehen unter gewißen Leuten für notwendig gehalten, einige seiner Irthümer zu widerlegen".

29,Febr.1788
Begleitschreiben für Rezensionen

6.April 1788
Über ein Manuskript von Hermann (vgl. Brief 39); Ankündigung einer Reise nach Bayreuth; Mitteilung, aus der man
entnehmen kann, daß bei ihm die Mittwochgesellschaft tagt.

Mai 1788
Empfehlungsschreiben für "d H Baron und Kammerherr von
Racknitz mit der Bitte ihn zum Montagsklub einzuladen".

7.Sept.1788
aus Bern mit persönlichen Aufträgen und Mitteilungen von
Erlebnissen in der Schweiz und in Nürnberg.

10.April 1789
aus Berlin mit einem Dank für "vorgestreckte 300 Thr.".

IOHANN IACOB FERBER,
Königl. Preußischer Oberbergrath
etc.

#	Dukaten	PP.	praemissis praemittendis, d.h. unter Vorausschickung des Vorauszuschickenden, also des Titels und der Anrede
⌷	(Freimaurer-)Logen		
☉	Gold		
☽	Silber	Pr.Ct.	Preußisch Courant, also die in Preußen gangbare Münze
♀	Kupfer		
a. St.	(Datum) alten Stils, d.h. nach dem Julianischen Kalender, der in Rußland gültig war.	rTh	Reichsthaler
		rTh Alb	Alberthusthaler
Br.	(Logen-)Bruder	AB	Altpreußische Biographie, hrsg. im Auftrage der Historischen Kommission für ost- und westpreußische Landesforschung, von Christian Krollmann, Kurt Forstreuter und Fritz Gause. 2 Bde. Königsberg 1941, Marburg 1967
BR	Bergrat		
D.	Doktor		
dH., dh.	der Herr		
dH^n, dh^n, dHrn.	den Herrn		
D^r	Diener		
f^{co}	franco		
FM	Freimaurer	ADB	Allgemeine Deutsche Biographie. 56 Bde. 1875-1912
FMO	Freimaurerorden		
gr, gg	Groschen	DbBL	Deutschbaltisches Biographisches Lexikon. 1710-1960. Im Auftrage der Baltischen Historischen Kommission herausgegeben von Wilhelm Lenz. Köln, Wien 1970
H, H^r, h, h^r	Herr		
HR	Hofrat		
in 8	in Oktav (Buchformat)	NDB	Neue Deutsche Biographie, hrsg. von der Historischen Kommission bei der Bayerischen Akademie der Wissenschaften, Bd.1-9 (A-Hüt), Berlin 1953-1972
in 4	in Quart (Buchformat)		
M	Minister		
MM	Michaelismesse. Sie begann in Leipzig am 1. Sonntag nach Michaelis, also Anfang Oktober, und dauerte eine Woche.		
		Poggendorff	Biographisch-literarisches Handwörterbuch zur Geschichte der exacten Wissenschaften, hrsg. von Johann Christian Poggendorff, 7 Bde., Leipzig 1863-1962
MlF	Mein lieber Freund		
n. St.	(Datum) neuen Stils, d.h. nach dem Gregorianischen Kalender.		
OM	Ostermesse. Sie begann in Leipzig am Sonntag Jubilate und dauerte ursprünglich eine, seit der zweiten Hälfte des 18. Jahrhunderts zwei Wochen.	RN	Allgemeines Schriftsteller- und Gelehrten-Lexikon der Provinzen Livland, Esthland und Kurland, bearbeitet von J.F. von Recke und K.E. Napiersky, 5 Bde. Mitau 1827 -1859
P, Pr	Professor	Wurzbach	Biographisches Lexikon des Kaiserthums Österreich, von Dr. Constant von Wurzbach, 60 Bde. Wien 1856-1890
PM.	pro memoria, d.h. zur Erinnerung		

ABBILDUNGSVERZEICHNIS

VERZEICHNIS DER BILDQUELLEN

Napiersky, Karl Eduard 11
Napoleon I. 46
Neander, Maria Gottlieb 101
Neumann, Caspar 46
Nicksius, Chirurg in Danzig 90
Nicolai, Christoph Gottlieb 12
Nicolai, Elisabeth Macaria 163, 165 f
Nicolay, Heinrich Ludwig von 145
Offenberg, Heinrich Christian von 55
Oesfeld, Karl Ludwig 166 f
Pabst von Ohayn, C.E. 109
Pallas, Simon 91
Parthey, Friedrich 168, 171
Paul I., Kaiser von Rußland 83, 135
Peithner, Johann Thaddäus Anton 108 f
Perret, frz. Chemiker 108 f
Peterson, ein Bildhauer aus Braunschweig 61
Pinus, Hermenegildus 90 f
Pistorius, Hermann Andreas 27
Poggendorff, J.C. 11, 43, 46
Popowitsch, Joh. Siegm. Val. 133 f, 140
Pötsch (Pözsch), Carl Gottlieb 88 f
Poussin, Bildhauer 61
Prahl, Johann Diedrich 122 f
Racknitz, Jos. Friedrich von 11, 174
Räder, Wilhelm 105
Raison, Friedrich Wilhelm von 56
Ramler, Karl Wilhelm 120 f, 145 f
Raspe, Verlag in Nürnberg 93
Raspe, Rudolf Erich 7, 41
Recke, Elisa von der 77, 101, 105, 106, 125,
131, 135, 144 ff, 159 f
Recke, Johann Friedrich von 11
Reis, Johann 138
Rembrandt 63
Reuß, Verlag in Hamburg 109
Richter, Verlag in Altenburg 51
Rose, Verlag in Greifswald 51
Rosenstiel, Friedrich Philipp 33, 41, 44 f, 53,
152 ff, 156, 171
Rosenthal, Gottfried Erich 13
Ruprecht, Johann Christoph 55
Sage siehe Le Sage
Salzmann, K.H. 149
Schachmann, Karl Gottlob Adolf von 103
Scheffner, Johann George 27
Schelhas, Walter 39
Schick, Eva Maria von 87
Schick, Johann Heinrich (von) 86, 89, 92, 98,
101, 122
Schiemann, Catharina 127
Schiemann, Wilhelm Friedrich 105, 126 ff, 134
Schimank, Hans 29
Schlichtegroll, Adolf Heinrich Friedrich 6, 11
Schlözer, August Ludwig 31, 149
Schmidt, Abraham 140 f, 148
Schmidt, Hans 103
Schriever, Helena Barbara 25
Schröter, Johann Samuel 120 f
Schultz, Johann 63
Schwab, Johann 59
Schwan, Verlag in Mannheim 125
Schwander, Sigismund Georg 106, 131, 145
Schwemschuch, Johann Gabriel 37
Scopoli, Johann Anton 50 f, 132
Sichelschmidt, Gustav 13

Sievers, Kaufmann in Lübeck 166, 170
Silberschlag, Georg Christoph 141 f
Simonis, Dorothea 87
Simonis, Franz Joachim 87
Sojmonov, Petr Aleksandrovič 160 f
Sömmering, Samuel Thomas von 81
Sonnenfels, Joseph von 77, 129, 138
Spalding, Johann Joachim 109, 121, 145 f
Spielmann, Jacob Reinhold 46
Spiess, Otto 57
Stanislaw August, König von Polen 10, 20,
83, 108, 112 f, 116
Starck, Johann August 13, 39, 53, 63, 83,
125, 145
Stegmann, Friedrich 25, 122 f
Stegmann, Helene Dorothea 25, 138
Steidel, Wilhelm August 27
Stein, Kaufmann in Straßburg 41
Stengel, Johann Nikolaus 58 f, 62, 64, 69,
90, 94, 124, 128, 135 f, 144
Stribrny, W. 155
Stumpff, Mitauer Bürger 96
Sulzer, Johann Georg 33 f, 56, 61, 120 f
Swieten, Gerhard van 132
Tautscher, A. 131
Tepper, Bankhaus in Warschau 103
Tetsch, Christoph Ludwig 63, 104, 106
Tiedge, Christoph August 79
Tiesenhausen, Eva Maria von 87
Tilas, Daniel 17
Tiling, Johann Nicolaus 39, 52 f
Timm, Albrecht 6, 20, 31
Trattner, Verlag in Wien 43
Trebra, Friedrich Wilhelm Heinrich von 10
Veltheim, August Ferdinand Graf von 124, 135
Venel, Gabr. Fr. 93 f
Vietinghoff-Scheel, Juliana von 87
Vogel, Verlag in Leipzig 39
Voigt, Hermann Friedrich 102f, 105, 118
Voigt, Joachim Friedrich 166 f
Voigt, Johann Carl Wilhelm 7, 11, 113
Volkelt, Johann Gottlieb 50 f
Volkmar, Johann Tobias 129
Waldin, Johann Gottlieb 69, 78
Wale, Mitauer Bürger 96
Wallerius, Johann Georg 7, 17, 26, 28 f
Walther, Verlag in Dresden 59, 69, 89, 93,
103, 109, 169
Wappler, Verlag in Wien 127, 129
Watson, Matthias Friedrich 39
Weber, J.D. 10
Weber, Wolfhard 11
Wehrdt, Johann Magnus 124 f, 137 f
Wehrdt, Karl Dietrich 124 f, 128
Weigel, Christian Ehrenfried 29, 51
Weisse, Christian Felix 12, 121
Werner, Abraham Gottlob 14 f, 19, 88, 90,
172
Wieland, Christoph Martin 27, 121
Wolf, Peter 58 f
Wouwerman, Philips 63
Wurzbach, Constant von 77, 133
Zedlitz, Karl Abraham von 149, 166 f
Zickler, Verlag in Biedenkopf 103
Ziese, Berliner Gastwirtin 173
Zorn von Plobsheim, Friedrich August 90 f

FRIEDRICH NICOLAI

GESCHICHTE SEINES LEBENS

DARGESTELLT VON GUSTAV SICHELSCHMIDT

188 Seiten, 8°, bibliophiler Pappband im Stil der Zeit, 14,80 DM

NICOLAISCHE VERLAGSBUCHHANDLUNG KG
GEGRÜNDET 1713 IN BERLIN

Friedrich Nicolai (1733 — 1811), der kongeniale Kampfgefährte Lessings und Moses Mendelssohns, gehört zu den eigenwilligsten und umstrittensten Persönlichkeiten im literarischen Leben seiner Zeit. Er war ein weit über die Grenzen Berlins bekannter Buchhändler, ein von hohem beruflichen Ethos erfüllter Verleger der deutschen Aufklärung und — nicht zuletzt — ein eifriger und vielgelesener Autor, dessen literaturkritische Streitschriften ihm den Hohn und Spott einiger seiner bedeutendsten Zeitgenossen, unter ihnen Goethe, Schiller, Herder, Schelling, Kant, Fichte, eingebracht haben. Damit war er fortan zur Karikatur gestempelt. Die Fachwissenschaft hat es bisher versäumt, das seit Generationen von der deutschen Literaturgeschichtsschreibung gedankenlos übernommene Schwarz-Weiß-Porträt dieses viel gelästerten Mannes neu zu überdenken und zu korrigieren. Gustav Sichelschmidt hat dies nun mit dieser schon seit langem überfälligen Biographie versucht. Mit überzeugenden Argumenten fordert er zur Rehabilitation Nicolais, des ungekrönten Hauptes der Berliner Aufklärung, auf.

NICOLAI

NICOLAISCHE VERLAGSBUCHHANDLUNG KG
BERLIN UND HERFORD